CONSTELAÇÕES FAMILIARES NA MEDICINA

Dagmar Ramos

CONSTELAÇÕES FAMILIARES NA MEDICINA

O que as Histórias Revelam sobre Sintomas, Doenças e Cura

Editora
Cultrix
SÃO PAULO

Copyright © 2020 Dagmar da Silva Ramos.
Copyright da edição brasileira © 2020 Editora Pensamento-Cultrix Ltda.
1ª edição 2020. / 1ª reimpressão 2022.

Todos os direitos reservados. Nenhuma parte desta obra pode ser reproduzida ou usada de qualquer forma ou por qualquer meio, eletrônico ou mecânico, inclusive fotocópias, gravações ou sistema de armazenamento em banco de dados, sem permissão por escrito, exceto nos casos de trechos curtos citados em resenhas críticas ou artigos de revistas.

A Editora Cultrix não se responsabiliza por eventuais mudanças ocorridas nos endereços convencionais ou eletrônicos citados neste livro.

Editor: Adilson Silva Ramachandra
Gerente editorial: Roseli de S. Ferraz
Preparação de originais: Alessandra Miranda de Sá
Gerente de produção editorial: Indiara Faria Kayo
Editoração eletrônica: Join Bureau
Revisão: Luciana Soares da Silva
Crédito da imagem: depositphotos

Dados Internacionais de Catalogação na Publicação (CIP)
(Câmara Brasileira do Livro, SP, Brasil)

Ramos, Dagmar
   Constelações Familiares na Medicina: o que as histórias revelam sobre sintomas, doenças e cura / Dagmar Ramos. – São Paulo: Editora Pensamento Cultrix, 2020.

   Bibliografia.
   ISBN 978-65-5736-012-5

   1. Cura 2. Doenças 3. Psicoterapia familiar 4. Terapia sistêmica (Terapia familiar) 5. Transtornos psiquiátricos I. Título.

20-37362   CDD-616.89156

Índices para catálogo sistemático:
1. Constelações familiares: Psicoterapia: Ciências médicas   616.89156
Cibele Maria Dias – Bibliotecária – CRB-8/9427

Direitos de publicação para a língua portuguesa adquiridos com exclusividade pela EDITORA PENSAMENTO-CULTRIX LTDA., que se reserva a propriedade literária desta obra.
Rua Dr. Mário Vicente, 368 — 04270-000 — São Paulo, SP
Fone: (11) 2066-9000
http://www.editoracultrix.com.br
E-mail: atendimento@editoracultrix.com.br
Foi feito o depósito legal.

Dedicatória

Dedico este livro a minha irmã de alma, amiga querida e sua maior incentivadora: Sui Mei de Andrade.

Sui, com o olhar ampliado da psicanalista experiente, a lucidez e a sabedoria da mulher atenta e intensa na vida, com todos os seus desafios, foi minha conselheira nestes últimos anos em meu trabalho com Constelações Familiares e, em particular, na escrita deste livro.

Mais do que isso, nossas almas, nesta vida, viveram o êxtase do encontro que cria, se compadece e se eleva mutuamente.

Sua passagem repentina em 25 de março de 2019, quando este livro estava para ser concluído, impactou-me profundamente. Foi em seu sítio em Bela Vista de Goiás, um verdadeiro santuário em meio à natureza preservada e cuidada com delicadeza por sua alma de artista, que escrevi a maior parte dos capítulos. E é nele que me encontro para concluí-lo, inaugurando sua continuidade como espaço terapêutico e de cura, gerido agora por seus filhos.

Sumário

Apresentação de Gunthard Weber 9

Prólogo 11

Introdução 17

1. Constelações de Sintomas e Doenças Clínicas 25
   1.1. Gestante com uma doença hematológica grave 25
   1.2. Lesão de pele de causa autoimune 33
   1.3. Lúpus eritematoso sistêmico 38
   1.4. Infertilidade e fertilizações 44
   1.5. Câncer 54
       1.5.1. Representação do destino de uma
              paciente terminal 54
       1.5.2. Recidiva de câncer de mama 60

2. Constelações em Transtornos Psiquiátricos 69
   2.1. Crianças com transtornos de atenção e hiperatividade ... 69
   2.2. Transtorno do sono e ansiedade em uma menina
        de 6 anos 72
   2.3. Autismo 75
   2.4. Depressão e pensamento suicida em um menino
        de 11 anos 77
   2.5. Transtorno do humor e agressividade em um
        adolescente de 15 anos 79

2.6. Adolescente, filho adotivo, com transtorno do humor e ansiedade 85
2.7. Insônia grave em uma jovem de 21 anos 91
2.8. Mãe e seus dois filhos com transtornos mentais 97
2.9. Depressão em uma mulher de 63 anos 102
2.10. Transtorno obsessivo-compulsivo 108
2.11. Constelações em casos de transtornos mentais decorrentes do uso de substâncias psicoativas 114
2.12. Constelações familiares na prevenção e no enfrentamento do suicídio 119
2.13. Observações sobre as Constelações de pacientes com transtorno mental 127
2.14. Constelações e adolescentes em conflito com a lei – uma experiência em Goiás 131

3. **Outros relatos de vinculações sistêmicas** 139
3.1. Situações de risco e o vínculo invisível com a mãe 139
3.2. As Constelações da ansiedade diante do futuro – uma vivência de integração 144

4. **A Constelação do Eu à Luz da Psicossíntese – uma jornada interior de integração e cura** 153

Considerações finais 165

Referências bibliográficas 171

Apresentação

Respeito muito Dagmar Ramos como facilitadora brasileira que, por um lado, tem grande experiência no trabalho com Constelações Familiares junto a clientes que enfrentam desafios em situações de relacionamento ou sofrem as consequências de problemas de família, às vezes inconscientes. Por outro lado, ela detém um vasto conhecimento sobre doenças e distúrbios mentais graves. Ao mesmo tempo, desce a fundo nas dimensões existenciais do trabalho de Constelação, com seus aspectos espirituais e transpessoais. Ainda assim, suas descrições são sempre bem fundamentadas. Emprega uma linguagem acessível, de fácil leitura, e não faz concessões a níveis ou construtos vagos.

Essa competência e esse espírito podem ser hauridos diretamente nos textos e estudos de casos desta obra que conta com um imenso poder de síntese. O resultado é um livro palpitante, baseado em pesquisas sérias, e de leitura atraente. Fornece, aos leitores interessados, inúmeras sugestões referentes às suas próprias Constelações de relacionamento e interações contextuais, além de proporcionar aos facilitadores iniciantes farto material de reflexão sobre e para sua prática.

Este é um livro que aborda, de maneira notável, os desafios da existência humana – portanto, em última análise, trata-se de uma obra sobre as duas maiores questões da vida: o amor e a morte.

– Gunthard Weber

Prólogo

> A felicidade está na atenção a um detalhe. Como se o resto se ausentasse para admitir a força de um instante perfeito.
>
> —Valter Hugo Mãe

Ao mergulhar nas tramas humanas poeticamente descritas por esse grande autor português, reconheço aliviada muitas de minhas reflexões diante das vivências compartilhadas no consultório médico e em atendimentos com Constelações Familiares. Por intermédio desse método psicoterapêutico, o fenômeno da alma humana se revela em suas profundezas, desafiando nosso olhar e nossa percepção plena, ensinando-nos a reconhecer, assim como nos livros de Valter, "as mil humanidades que há dentro de cada um de nós" – palavras de Mia Couto ao prefaciar seu *Contos de Cães e Maus Lobos*.

"Os outros somos nós mesmos", diz o poeta e escritor lusitano, e penso que, ao nos permitirmos viver o *outro* no instante único da Constelação, alcançamos uma compreensão mais clara e profunda da dimensão humana.

Como poderão confirmar ao ler este livro, como médica e psicoterapeuta, encontro muitas similitudes com o pensamento de Irvin Yalom, também psiquiatra e escritor, autor de *Desafios da Terapia*, em relação à postura delicada da relação médico--paciente, que está longe de ser uma observação distante e descompromissada com o outro ali em frente.

As Constelações Familiares, método criado pelo psicanalista e filósofo alemão Bert Hellinger, ao lidar com sintomas e doenças, permitem desvendar um mar de informações, vínculos e histórias até então ocultos que, ao atingirem a luz da consciência, ganham sentido e revelam soluções.

Inúmeros outros autores aprofundaram-se no estudo do ser humano em sua multidimensionalidade, compreendendo os sinais patológicos como códigos de um todo em busca de expressão.

Refiro-me aqui a Roberto Assagioli, neuropsiquiatra italiano, e sua *psicossíntese*; a Carl Jung, com sua *psicologia analítica* e seus *insights* sobre o *inconsciente coletivo*; a Sigmund Freud e toda a sua obra relacionada à mente humana; a Jacques Lacan, com sua genial contribuição à *clínica do inconsciente*; a Stanislav Grof, psiquiatra tcheco, com sua *cartografia da mente humana*; a Ivan Boszormenyi-Nagy, psiquiatra húngaro-americano, com seus estudos sobre as *lealdades invisíveis*; a Eric Berne e sua *análise transacional*; a Jacob Levy Moreno, psiquiatra romeno, com seu *psicodrama*; a Fritz e Laura Perls e seus estudos, que originaram a *Gestalt-terapia*, além de vários outros.

O fenômeno percebido por Bert Hellinger, que deu origem à abordagem das Constelações Familiares, em que um indivíduo, ao "representar" um outro, é capaz de perceber e transmitir informações pertinentes a este e seu grupo familiar, assim como sua constatação sobre as profundas conexões entre seus membros, mesmo que de gerações anteriores, embora não haja ainda um consenso a respeito, pode ser explicado pela teoria dos *campos mórficos* e da *ressonância mórfica* de Rupert Sheldrake, biólogo inglês e um dos cientistas mais respeitados da atualidade.

O acesso a esse campo de informações, aberto principalmente pelas Constelações Familiares, é um fenômeno que vem revolucionando a psicoterapia, bem como o campo das consultorias organizacionais, para onde esse método se expandiu e vem se desenvolvendo, no mundo todo.

Está particularmente na medicina, na abordagem de sintomas e doenças – vertente que tem em Gunthard Weber, psiquiatra e professor de Medicina da Universidade de Heidelberg, na Alemanha, seu grande mestre –, meu maior interesse e meu estudo.

Com início em 2006, seguindo até 2010, coordenei uma equipe brasileira na primeira pesquisa multicêntrica sobre Constelações, envolvendo sete países (Alemanha, França, Bélgica, Holanda, México, Argentina e Brasil): o Symptoms, Illness and Systemic Constellations (Sisc) Study [Sintomas, Doenças e Constelações Sistêmicas], sob a direção-geral de Gunthard Weber.

Para além das Constelações Familiares, o método de leitura e observação do campo, seja ele individual, grupal, pessoal ou institucional, assim como a compreensão e a aplicação do fenômeno percebido por Bert Hellinger na vida humana são marcos científicos incontestáveis. Completando 30 anos de experimentação, expansão e presença nos cinco continentes, as Constelações iniciam sua evidenciação por meio de estudos científicos.

Estamos diante de um campo imenso de possibilidades, um salto quântico nas observações do fenômeno humano e de intervenção em seu processo de adoecimento e cura.

O indiano Rajan Sankaran, um dos mestres contemporâneos da medicina homeopática, afirma em *A Sensação em Homeopatia* que "cada sintoma é a manifestação de algo profundo no sujeito, vem do seu estado de ser, expressa-se claramente no todo, e não apenas em uma parte".

Os fenomenais campos de informação abertos com as Constelações vêm nos permitindo adentrar o ser humano e seus sistemas, suas redes de conexões, sua totalidade expressa nas partes, seus vínculos invisíveis e realidades até então submersas, em uma profundidade e expansão inimagináveis. Eles nos oferecem, sobretudo, um campo de pesquisa na área da psicologia e da medicina que, aos poucos, estudos científicos começam a comprovar – a medicina da alma, em que corpo, mente e psique são expressões de um todo integrado e ressoante com outros sistemas.

Além de serem uma ferramenta ímpar no diagnóstico e na melhor compreensão de transtornos psíquicos e sua expressão no corpo físico, as Constelações demonstram, provavelmente por meio de um fenômeno também estudado pela Biologia, a *ressonância mórfica*, uma atuação a distância, impactando outras pessoas e todo o sistema em foco. Em vários dos casos aqui relatados pude perceber tal fenômeno.

Este livro é uma contribuição para o estudo do ser humano, em especial no que envolve seu processo de adoecimento e busca pela cura. Serve aos que se comprometem com o desenvolvimento espiritual e já entenderam que essa é uma "viagem longa e árdua", como nos afirma Roberto Assagioli, e passa necessariamente pelo autoconhecimento, incluindo um olhar profundo sobre sintomas e doenças. Dirige-se ainda a estudantes e profissionais "consteladores" em seu percurso de aprimoramento.

Compartilho aqui minha experiência e reflexões como médica homeopata, psiquiatra, especialista em medicina social e psicoterapeuta, professora e pesquisadora do método, mas também como cliente e representante de Constelações Familiares conduzidas por outros profissionais.

Reconheço nesta minha trajetória a enorme contribuição de Theda Basso, Aidda Pustilnik e toda a equipe da Escola da Dinâmica Energética do Psiquismo (DEP), com quem aprendemos a escuta perceptiva e a atenção plena; a sustentar o campo terapêutico em um trabalho fenomenológico individual ou em grupo; a nos desenvolver como instrumentos de ressonância do Eu Superior. Nesse campo transpessoal, devo muito também a Nilton Ferreira, psicoterapeuta e mestre, bem como a sua equipe do Instituto Serra da Portaria em Goiás. Antes de tudo, iniciei aos 18 anos um percurso na psicanálise, em Freud e Lacan, que, durante muitos anos, foi a base de meu contato comigo mesma, de meu despertar interior e minha busca pela compreensão da realidade. Ainda percebo no presente vários dos *insights* desse processo e trago na alma, com preciosidade, as presenças de Wendel Santos, de Goiânia, e Mauro Mendes Dias, de São Paulo.

Todos esses aprendizados foram fundamentais para que eu compreendesse e atuasse melhor nas Constelações Sistêmicas.

Muitos dos conhecimentos trazidos pelas Constelações com relação ao adoecer humano e suas conexões encontram ressonância em outros estudos, como *Medicina Vibracional*, de

Richard Gerber; *Médico Quântico*, de Amit Goswami; *Os Movimentos do Coração – Psicologia dos Chineses*, da grande intérprete da medicina chinesa no Ocidente, a francesa Elisabeth Rochat de La Vallée, e Claude Larre.

Franz Ruppert e Stephan Hausner, dois colegas psicoterapeutas alemães, também estudiosos do adoecimento humano por intermédio das Constelações, cada um a seu modo, são autores, respectivamente, dos livros que indico para maior aprofundamento do tema: *Simbiose e Autonomia nos Relacionamentos* e *Constelações Familiares e o Caminho da Cura*. Aprendo muito também com Joan Garriga, de Barcelona; Marianne Franke e sua Pedagogia Sistêmica, da Alemanha; Jan Jacob Stam, da Holanda; Cornelia Bonenkamp, da Alemanha, mas residente no Brasil há vinte anos, e muitos outros.

Na obra de Bert Hellinger, leitura indispensável aos que querem conhecer mais sobre as Constelações Familiares, destaco, no tema de sintomas e doenças: *Desatando os Laços do Destino – Constelações Familiares com Doentes de Câncer*.

Reverencio aqui os mestres alemães Jakob Schneider, Sieglinde Schneider e Gunthard Weber, com quem nós, os primeiros terapeutas consteladores do Brasil, tivemos o privilégio de nos formar. Reverencio também Reginaldo Coelho, psicoterapeuta e constelador, responsável por conduzir estas primeiras formações – além de outros tantos, de vários países, com quem venho me desenvolvendo nesse campo.

Gunthard Weber permanece sendo um mestre maior a nos mostrar o caminho e a nos incentivar a seguir com a pesquisa no campo das Constelações e da medicina.

A Bert Hellinger, minha profunda homenagem e especial gratidão.

Introdução

> Minha própria Constelação Familiar, conduzida por Gunthard Weber.

Eu vou, mas você fica.

Mais que a força das palavras, permanece a memória do ato, a serenidade de sua assertiva, o estado de choque de nossa mãe e meu desespero diante daquele diálogo inesperado:

– Você vai matá-la com esta conversa, pare com isso.

Ele, meu irmão Cassinho, perto de completar 15 anos de vida, apenas segurou minhas mãos e prosseguiu com calma:

– Eu vou desencarnar antes de completar 18 anos, eu vou, mas você fica – dirigiu então o olhar a nossa mãe, completamente paralisada: – Você ainda tem muito o que fazer, e você também – dirigia agora o olhar a mim, que me encontrava atônita diante daquela cena inesperada, uma menina ainda com meus incompletos 14 anos.

Ele apenas disse isso e saiu da sala. Nossa mãe, na época com 35 anos de idade, permaneceu em profundo silêncio por longos minutos diante da declaração de seu amado filho primogênito, aumentando minha dor com sua respiração em pausa. Depois, pediu-me, *encarecidamente*, que não revelasse nada ao meu pai nem a ninguém sobre esse episódio e também saiu, silenciosa.

Procurei esquecer, e a vida seguiu agitada com as atividades da escola naquele mês de outubro de 1971, caminhando para o final do ano, com suas formaturas e festas costumeiras na cidade montanhosa do sul de Minas, Ouro Fino. A vida em família era sempre muito intensa, pois éramos em seis irmãos, com uma mãe que estudava também, concluindo a Escola Normal, e um pai, gerente do Banco do Brasil, que também era um líder religioso espírita de grande presença na vida social e comunitária de toda a região.

Pouco mais de três meses após aquele anúncio, Cassinho desencarnou subitamente, devido a um provável aneurisma cerebral.

Nossa mãe ficou mais um pouco, mas fez sua passagem, também cedo, aos 55 anos de idade, exatamente vinte anos depois do filho, com um quadro neurológico semelhante.

Eu vou, mas você fica – a força dessas palavras, a expressão serena do meu jovem irmão ao pronunciá-las e a figura estática de nossa mãe permaneceram intocáveis e misteriosas em algum lugar do meu ser.

Quarenta anos depois, durante uma vivência terapêutica como aluna de um curso de formação em Constelação Familiar, conduzida pelo olhar atento e experiente do mestre amoroso e psiquiatra alemão renomado, Gunthard Weber, em Belo Horizonte, essa cena desprendeu-se de mim e se apresentou inteira naquele teatro de atores desconhecidos, embora personagens tão familiares. Era minha primeira Constelação Familiar.

Lá estava eu, mais uma vez perplexa, distante, testemunha da minha própria história, impactada pelo destino inexorável de minha família, ouvinte inconformada daquele anúncio de morte. Minha representante observava, aflita, o irmão caminhando sereno, logo à frente da mãe, cabisbaixa. O representante do pai manifestava apreensão e impotência diante do movimento do filho, entre a mãe e a morte, confiante em sua missão de partir, *para que ela ficasse*.

Eu me lembrei então de uma outra cena, ocorrida um ano antes da morte de meu irmão, em uma praia em Santa Catarina, onde costumávamos passar as férias mais felizes que poderíamos imaginar, toda a família e, daquela vez, também tios e primos. O Cassinho, em sua prancha branca nova, foi levado pelo movimento das ondas e, quando se deu conta, estava em alto-mar. Acenava pedindo socorro, e todos nós fomos tomados pelo desespero de vê-lo longe, em risco, desaparecendo, afastando-se de nós, nosso querido irmão. Nosso pai jogou-se no mar, nossa mãe de joelhos, pedindo a Nossa Senhora, reunindo todas as forças de sua fé católica, ela que fora Filha de Maria em sua infância e juventude, tendo se tornado também espírita ao se casar, e nós, as crianças, de mãos dadas, entre gritos e preces, confiávamos que Deus não seria tão perverso, que as mesmas ondas que o tinham levado o trariam de volta. E trouxeram, com a ajuda de muitos homens que haviam se arriscado até aquele lugar distante.

Nossa mãe colocou-o no colo, ali na areia, e o abraçou, como tantas vezes havia feito na vida, suas lágrimas misturadas às dele, salgadas pelo mar. Graças a Deus, o Cassinho estava de volta; fora só um susto!

Quando vieram me contar na escola que um irmão meu havia se sentido mal e teria sido levado para a Santa Casa da cidade, eu já sabia: era ele, conforme ele mesmo avisara alguns meses antes, mas desta vez não adiantariam nossos gritos, nossa fé, nossas preces, nada.

Antes mesmo que meu coração explodisse na dor até então desconhecida, minha mente trouxe a lembrança de um ano atrás, a imagem dele se afastando em direção ao mar infinito, aquela prancha branca, já quase se confundindo com o azul do céu, misturada às nossas preces e gritos na areia, nossa mãe de joelhos – aquele fora o primeiro aviso. O que vivemos depois, talvez, tivesse sido um acréscimo de misericórdia.

O Cassinho era um menino especial, desde muito cedo se destacava na família, na escola, sempre com as melhores notas, amoroso e caridoso. Aos 13 anos, já presidia a Mocidade Espírita da cidade e quantas vezes não abriu nossa casa, escondido dos nossos pais, para abrigar, à noite, menores de rua.

– Você dorme tranquila sabendo que tem cama sobrando e menino na rua sem ter onde dormir? – argumentava ele quando nossa mãe pedia mais cuidado em suas ações de caridade.

Dizem que as mães têm uma intuição sobre o destino dos filhos; nossa mãe tinha. Desde pequenos ela nos levava anualmente para uma espécie de *check-up* e de nada adiantavam as argumentações dos médicos – ela exigia que fossem feitos todos os exames, entre eles, eletrocardiogramas e eletroencefalogramas, isso quando não pedia raios X ou algum procedimento recente que a medicina anunciava. Naquela época não existiam as tomografias computadorizadas nem as ressonâncias magnéticas, senão, certamente as teríamos feito. Também não podia se afastar de nós, nem para acompanhar o marido nas viagens a trabalho ao Rio de Janeiro, essa cidade sempre maravilhosa dos nossos sonhos. Da mesma forma, fomos crianças que raramente acompanhavam os colegas em excursões, viajando sozinhos apenas para a casa de parentes ou amigos. Nossa mãe não se importava ao ser chamada de *galinha choca* ou de *superprotetora*. Carregava junto com esse excesso de preocupação um semblante triste, um sinal na testa que não lhe tirava a beleza exuberante de ex-Miss Buriti Alegre, sua cidade natal, no interior de Goiás – título que lhe fora outorgado na época em que o jovem funcionário do Banco do Brasil, nosso pai Cássio, apaixonou-se perdidamente por ela, no início dos anos 1950.

Mas, naquele 20 de outubro de 1971, nossa mãe havia cedido à pressão das colegas e à insistência de nosso pai e estava em uma viagem de formatura da Escola Normal, em Santos, quando foram buscá-la em um avião particular, com a confirmação do anúncio da partida do filho.

Os *check-ups* pararam desde então. Seu luto, após um primeiro momento de total desespero, foi aos poucos se dirigindo ao trabalho nas obras de caridade e ao cuidado, agora menos obsessivo, com a vida e a saúde dos outros filhos. Mas sua dor nunca conheceu alívio completo, como acredito ser a dor de toda mãe que perde um filho. E, diante dela, nós nos calávamos.

Que fenômeno é esse das Constelações Familiares que, em poucos minutos, traz à superfície esse mar imenso de memórias, impressões, feridas, estratégias, verdades e segredos, como se fosse aberto um portal e, por meio de uma espécie de *bluetooth*, esse campo de informações, do indivíduo e seu sistema familiar, se estendesse até os demais, os *representantes*, o terapeuta e todos os presentes?

Diante daquela cena na Constelação, o terapeuta observou-me e me questionou sobre a história de minha mãe, sua família de origem, levantando a hipótese de que ela teria, em vida, um movimento em direção ao morrer talvez identificado com algo grave, ocorrido ainda na infância. Eu então lhe informei que seu pai, meu avô materno, havia morrido cedo, por suicídio. Deixara seis crianças pequenas, sendo que minha mãe, a terceira filha, era adolescente, e a mais nova tinha três meses de vida.

Assim, colocamos na Constelação esses avós, e o movimento calmo e inexorável da mãe em direção ao pai revelou ali uma dinâmica que sempre esteve presente e atuante em nossas vidas, sem que nos déssemos conta. A Constelação revelou também, por meio de sua representante, a dor e o pânico de nossa avó diante daquela tragédia. Mais tarde, eu soube que os filhos se revezaram muitas noites para impedir que ela tivesse o mesmo destino.

Minha avó permaneceu em uma existência que se mostrou mais dura do que ela provavelmente poderia imaginar.

Ficaram na miséria, os mais velhos tiveram que trabalhar cedo, interrompendo os estudos, e minha mãe tornou-se vendedora em lojas de tecidos e sapatos, bilheteira de cinema, além de ajudar a mãe a fabricar e vender sabão de quadro nas ruas. Eu me lembro desses sabões, umas bolas pretas, escorregadias, que gostávamos de alisar e com as quais brincávamos escondido, pois minha avó seguiu nessa labuta por muitos anos. Todos juntos foram se desenvolvendo, sempre muito unidos, tornaram-se homens e mulheres de bem, prósperos materialmente, e constituíram família. Um dos tios mais novos, porém, adoeceu de um alcoolismo grave e teve uma morte também violenta, precoce, deixando dois filhos adolescentes.

Embora não se fale quase nada de nosso avô, nem tenhamos nenhuma fotografia dele, sabe-se que era um homem muito caridoso e querido por todos. O estigma da morte por suicídio é ainda forte em nosso país, em nossa cultura. Imaginem cem anos atrás...

Em 60 minutos de Constelação, vivenciei um corte transversal em minha vida inteira, tão profundo, tão simples, tão coerente e revelador.

Durante muitos anos, começando na adolescência, fui tomada por um pensamento estranho e repetitivo: eu poderia colocar minha vida em risco a qualquer momento e um homem, por minha responsabilidade, também poderia cometer suicídio.

Iniciei-me na psicanálise aos 18 anos e desde então busquei nessa e em outras abordagens da psicologia a compreensão e o alívio desses sintomas perturbadores. Acabei me tornando médica psiquiatra e psicoterapeuta, acredito eu, seguindo a força do arquétipo de Quíron, o médico ferido.

Concluí com essa Constelação que também eu estava identificada, de forma inconsciente, com a tragédia vivida pela minha mãe em sua adolescência.

Muitas outras questões que me perturbavam, inúmeras delas trabalhadas no meu longo processo terapêutico, ali se alinhavam em um contexto de síntese e resolução.

Terminada a sessão, após ter me colocado em cena – ainda posso sentir o calor da presença do meu irmão à minha direita, preenchendo um vazio que sentia, até então inexplicável, saí da sala e fui caminhar pelas ruas laterais ao hotel, no centro de Belo Horizonte, cidade em que meu pai vivera na juventude até passar no concurso do Banco do Brasil e voltar para casa, em Araxá, Minas Gerais, onde foi recebido na estação de trem com foguetes e banda de música.

Quem era eu? O que acontecera comigo? Meu corpo denunciava essa estranheza; a leveza que eu sentia e o alívio no peito anunciavam uma vida nova pela frente, como se eu mesma pudesse agora mergulhar e resgatar esse meu *eu* quase afogado e preso à prancha branca e aos gritos de socorro.

Enquanto caminhava, olhava as pessoas ao redor e meu coração ia se preenchendo de compaixão por mim mesma, mas também pelos homens com quem eu havia me relacionado até o momento. Podia compreender enfim por que tantas vezes não me sentia livre para amar nem ser amada por um homem. E por que muitas vezes precipitei o fim de relacionamentos com um sentimento de "proteção" ao outro.

Naquele instante, tive a certeza de que aquele era um método incrível, com um poder terapêutico ímpar, um presente divino, um mar se encontrando com o horizonte sob um céu claro e azul. Uma prancha a ser lançada em direção aos que pediam ajuda, à deriva.

Mas, como reconhecem seus estudiosos em todo o mundo, o que vemos é ainda a ponta de um *iceberg*.

Introduzi as Constelações Familiares em meu trabalho como médica e psicoterapeuta imediatamente após ter concluído o curso, em 2005.

Ainda podia sentir as reverberações, em meu corpo e minha alma, do universo de vivências, minhas e dos colegas de curso. Não poderia adiar em proporcionar aos meus pacientes essa abordagem.

Desde então, foram inúmeras histórias e mergulhos na psique humana. Acompanhar essas pessoas, homens, mulheres, crianças e jovens, em seus sintomas e doenças, conflitos na relação de casal, dificuldades na vida profissional, dores diante da doença incurável e da morte, destinos trágicos, trouxe para meu consultório e minha vida oportunidades de progresso inimagináveis.

1
Constelações de Sintomas e Doenças Clínicas

1.1. Gestante com uma doença hematológica grave

Um pacto de sangue!

Certa vez fui procurada por uma colega médica obstetra, hoje com formação em Constelações Familiares, para uma orientação sobre um caso difícil: uma paciente sua, gestante de poucas semanas, portadora de uma doença hematológica grave, de prognóstico reservado – uma *mielodisplasia, subtipo anemia refratária* – cuja evolução era ainda mais desfavorável pela gestação.

Tratava-se de uma indicação precisa de interrupção de gravidez, autorizada pela legislação brasileira e aprovada por uma junta médica do Conselho Regional de Medicina (CRM) local, que fora consultado.

A médica, especializada em trazer à luz crianças em partos humanizados, estava diante de um grande desafio a lhe tirar o sono. Não poderia abandonar sua paciente de longa data nesse momento delicado. Ela a havia acompanhado na primeira gestação, seis anos atrás, um parto difícil que, devido à sua doença, a levara à UTI, deixando-a entre a vida e a morte por muitos dias. A filha nascera bem e era uma criança saudável.

Apesar de toda a orientação contrária a uma nova gravidez, o que lhe traria um risco enorme de complicação e morte, a paciente tinha voltado ao consultório ginecológico, grávida e, o que aumentava a complexidade do caso, decidida a seguir com a gestação, *fosse o que Deus quisesse*.

Em um primeiro momento, atendi a colega médica em uma sessão de psicoterapia com o propósito de se manter mais calma e confiante, de entender melhor seu papel, suas limitações diante do livre-arbítrio da paciente, mas também seu compromisso com a vida, a verdade e a ética. Ela estaria ao lado da paciente independentemente de sua escolha, porém seu aconselhamento era no sentido de preservar a vida da mãe, de alertá-la sobre os riscos, de chamá-la para o compromisso diante da filha de 6 anos e do marido, envoltos em grande apreensão e sofrimento.

Também conversamos sobre a indicação de uma Constelação Familiar em que essa paciente pudesse ter um olhar mais ampliado sobre toda a questão. A paciente e o marido concordaram e, dois dias depois, reunimos um grupo especialmente para esse atendimento. Ela veio com o marido, a mãe e a filha pequena.

Seus olhos traziam a informação de uma dor profunda, uma tristeza que me tocou a alma mal ela se sentou a meu lado.

A filha, um pouco tímida, escondia-se atrás da avó e do pai. O marido da paciente, algo deslocado, sentou-se calado junto ao grupo, cabisbaixo.

Ao mesmo tempo que trazia uma melancolia estampada no olhar, nossa paciente tinha um sorriso discreto, enigmático, que não chegava a iluminar o rosto ou a convencer sobre qualquer intenção alegre, persistente durante toda a entrevista com suas questões dolorosas. Sim, ela sabia dos riscos, mas estava decidida a seguir com a gravidez. Aquele sorriso sem jeito, a lhe reforçar um semblante infantil, na minha observação, sumia quando eu cruzava meu olhar com o dela. Perguntei sobre fatos impactantes na sua família de origem, e nada; nem mesmo sua mãe se lembrava de acontecimentos importantes.

Esperei alguns minutos, em uma postura de escuta, o que sempre aconselho aos alunos, atenta para o que estivesse por surgir. Eu estava certa da existência de fatos graves, traumáticos, impactantes no sistema familiar, que reverberavam até essa jovem e traziam sentido à sua doença e a seu movimento sorridente em direção ao morrer. Já compreendi que faz parte dos mecanismos de defesa não nos lembrarmos de imediato de fatos marcantes aos quais estamos em inconsciente e profunda conexão. Enquanto aguardava, buscava suporte na respiração profunda, e todo o grupo me acompanhava nessa atenção plena.

A mãe da paciente, enfim, revelou que sua mãe havia morrido cedo, por suicídio, enquanto ela era apenas uma criança. Sim, aquele era o fato que aguardávamos surgir. Impactante demais, doloroso demais, impossível estar vivo na memória todo o tempo. Confirmei com um aceno de cabeça, e meu corpo foi todo tomado por uma grande compaixão por aquela mãe órfã, sua mãe suicida, sua filha gravemente enferma e a neta buscando refúgio em seu colo largo.

Pedi então que a paciente colocasse representantes para ela, sua doença, seus pais e a avó materna.

Enquanto sua representante direcionava o olhar para um ponto no chão, a avó, colocada atrás, virava-se em um movimento lento, dirigindo o olhar para bem longe, como se buscasse outras conexões, como se não pertencesse àquele sistema.

Em passos lentos e precisos, a representante da doença hematológica grave da paciente, desse seu *eu adoecido*, caminhou em direção à avó e abraçou-a com firmeza pelas costas. As duas permaneceram assim, embaladas em um movimento suave e estrondoso, balançando como se fossem uma só alma, um único ser, galhos de uma árvore entregues à ação do vento que soprava e desenhava aquele quadro belo e preciso.

As Constelações Familiares, nesta pequena ponta do *iceberg* que no momento podemos ver, estampam movimentos psíquicos do ser em um mar de sentido, a desnudar processos complexos, origem, síntese e soluções. Vida, morte e destino.

O que aconteceu com aquela avó? O que a levou naquele instante a procurar no suicídio uma solução? Naquele momento, poucos minutos após o início da Constelação, estava claro para todos, inclusive para ela, a paciente, gestante da própria morte, o profundo e inconsciente vínculo com a avó suicida.

Eu permaneci a seu lado, assistindo com ela a esse filme, esse teatro do inconsciente.

Não havia necessidade de intervenções maiores; o silencioso movimento interno do campo conduzia os representantes, e as dinâmicas ocultas se revelavam ao nosso olhar, a nos tomar o coração.

Intrigada com o abraço sereno dos dois seres de costas para a vida, perguntei à mãe da paciente sobre a história de sua mãe, sobre sua vida e sua morte.

Ela então nos disse que era criança, moravam em uma fazenda, quando a mãe deixou a casa, despedindo-se dos três filhos pequenos, para se encontrar com um homem que teria sido seu primeiro e único amor, um romance proibido pela família, e os dois se suicidaram juntos. Um *pacto de sangue*, disse ela, selado ainda na adolescência, que permaneceu vivo mesmo quando, obrigada pelo pai, ela se casou com outro homem e teve filhos com ele.

Estávamos diante de drama semelhante ao brilhantemente contado por Shakespeare, embora tão longe das cortes inglesas dos séculos XV e XVI. Tão similar na sua verdade e força, romeus e julietas ainda vivos a reproduzirem a religião do amor, os preconceitos e as incompreensões, as paixões doentias, os movimentos internos de união e síntese com o outro, não importando o preço a pagar, tomados por uma outra dimensão da realidade.

Estaríamos diante de uma provável continuidade da história contada por Shakespeare, de suas consequências e reverberações através do tempo, de seu impacto em gerações familiares seguintes?

Trouxe um representante para esse homem, o amor proibido e pactuado na vida da avó menina. Os dois se abraçaram ternamente em um gesto que nos tomou a todos. O silêncio, interrompido apenas pelo choro dos familiares presentes, de alguns dos representantes e muitos dos que assistiam, era nosso pacto de compaixão por esses dois amantes apaixonados. Anos de julgamento e exclusão terminavam ali em um instante.

Esperei até que o abraço se esgotasse e os representantes retomassem a respiração suspensa, para pedir que se olhassem nos olhos. Lentamente, eles se afastaram um pouco, sem se desprenderem das mãos dadas, e se enxergaram.

Aprendemos com as Constelações mais um pouco sobre a força do olhar nos olhos do outro, o choque anímico capaz de desfazer hipnoses e trazer realidades suspensas.

Aqueles dois seres ali representados, apoiados pela compreensão de um campo amoroso instantaneamente plasmado, ganhavam a oportunidade de serem vistos enfim, de serem integrados e concluídos. Assim também todos os outros envolvidos – em particular a neta gestante, que caminhava em direção ao morrer em profunda sintonia com a avó e seu destino – poderiam ser liberados.

Era preciso trazer também um representante para o avô materno da paciente, o homem que se casara com aquela mulher já comprometida no amor e na morte com outro homem, com quem tivera seus três primeiros filhos e por quem um dia fora abandonado, traído e feito viúvo antes que pudesse sequer entender o que estava acontecendo. A avó ali representada dirigiu-lhe um olhar de lamento, um pedido de perdão, e verbalizou seu agradecimento pelo cuidado com os filhos. Voltou-se e abraçou de novo o amante, seu primeiro e único amor.

Fui até os representantes e pedi que o *eu adoecido* da paciente se afastasse um pouco e olhasse nos olhos da avó.

– Minha querida avó, eu vejo você, eu vejo sua dor e em mim o seu amor permanece vivo.

Era como se ela honrasse o pacto de sangue da avó que sequer conhecera, que viera a falecer em idade próxima à que ela tinha agora: 30 anos.

Falas de liberação são proferidas, frases feitas de sentido e lógica, algumas ditas pelo terapeuta, outras espontâneas dos representantes:

– Por favor, minha querida avó, me libere, me abençoe se eu ficar na vida mais um pouco.

Um longo abraço selou esse novo momento, um pacto de vida, de presença, de consciência, de pertencimento, de agradecimento e de despedida. Conduzi então o *eu adoecido* até a representante da paciente, do seu *eu real*, conforme nos ensina Roberto Assagioli, o grande neuropsiquiatra italiano, contemporâneo de Freud e Jung.

Gestos de integração, identificação e desidentificação com dinâmicas doentias, com aspectos fragmentados e imaturos de nossa psique. As Constelações Familiares proporcionam em sua condução um verdadeiro processo de *psicossíntese*, evidenciando e certificando as análises de Assagioli, na minha percepção.

As mudanças na postura corporal, na expressão facial, no comportamento do cliente de uma Constelação que toca verdadeiramente a alma do sistema são imediatas.

A paciente trazida por sua médica obstetra já era outra ali sentada. O olhar era cheio de vivacidade e seu sorriso falso desaparecera. Em seu lugar, uma sobriedade e um olhar atento à filha e ao marido ali presentes.

Resolvi trazer um representante para sua filha, seu marido e também para o bebê que ela gestava.

São passos cuja pertinência vamos sentindo, sempre em sintonia com o cliente, sua presença e sua conexão com o trabalho, sua autorização psicológica, seu corpo emocional e mental.

Ela estava presente e atenta; eram passos necessários para concluir aquela etapa do atendimento.

A representante do *eu adoecido*, sem força nem expressão após se integrar com o *eu real*, afastou-se e saiu do campo.

O representante do bebê, colocado em frente à representante da paciente, abraçou-a de modo espontâneo, em um gesto que lembrava o abraço da avó e seu amante, e lhe disse:

– Está tudo bem comigo, este é o meu destino – e se despediu dela, dando passos para fora do campo.

Ela então abraçou a filha e o marido, repetindo com a voz embargada:

– Eu fico, eu fico com vocês, eu fico.

Coloquei a paciente em seu lugar, agradecendo a sua representante, e coloquei também sua filha e o marido. Todos se abraçaram longamente.

Ao final, essa mulher se aproximou da sua médica ali presente.

– Estou pronta. Estou decidida a interromper esta gravidez; eu quero ficar na vida.

Não havia tempo a perder; o procedimento foi agendado para o dia seguinte, bem cedo.

Como a nos desafiar com sua sabedoria e seus mistérios, a Constelação teve ainda um outro capítulo no centro cirúrgico, na manhã seguinte.

Quando a paciente se apresentou à médica, informou-lhe que naquela noite havia sentido algo estranho no ventre, um ruído e um movimento, uma dor discreta. Antes da curetagem, a médica pediu então um exame de ultrassom. Já não havia batimentos cardíacos; o aborto ocorrera de forma espontânea. De forma espontânea?

Essa paciente viveu por mais cinco anos. Veio a falecer em decorrência de sua doença, conforme nos informou sua médica. Sua filha estava à época com 11 anos.

1.2. Lesão de pele de causa autoimune

A Constelação, o sino tibetano, as marcas e os sinais.

Um dia destes acordei com uma metáfora no pensamento: *a Constelação é como o soar de um sino tibetano*. Cabe ao terapeuta constelador o papel de tocar com o bastão, suave e precisamente, a bacia de metal, que, no meu *insight*, representaria o cliente e sua questão. A mão que contém e sustenta a bacia seria o campo em que o trabalho acontece. A melodia a ser desperta com o toque do bastão na bacia, bem sustentada pela mão, seria o movimento terapêutico.

Cada sino tem sua melodia, a depender do material de que é feito. A mão deve sustentar o sino, contê-lo, envolvê-lo firme e delicadamente, porém, sem pressioná-lo. Sua sonoridade e amplitude dependerão da qualidade do material de que é feito, da postura da mão que o sustenta e do toque do bastão.

Um toque preciso, mesmo que único, pode produzir um som melódico amplo. Outras vezes, são necessários movimentos delicados e circulares na borda do sino. Estímulos, comandos ou toques, e a melodia segue, decifrando seus sons. Percebo muitas vezes, contudo, que a arte está no aguardar em silêncio enquanto o sino ainda está sob efeito do último toque e a melodia ainda não terminou sua inteira composição.

O compromisso do terapeuta constelador é com a melodia, com seu despertar, e ele errará menos quanto mais envolvido estiver com o movimento em si, o som ali presente, imprevisível, a ser escutado, percebido, aceito e compartilhado. Erramos menos quando abrimos mão de saber *a priori* a inteira e final composição. Não há espaço para curiosidades e suposições, discursos e frases feitas, por mais que as sentenças de solução se repitam, uma vez que somos todos tão semelhantes em nossos dramas humanos.

Para conduzir com maior êxito um trabalho de Constelação é preciso, antes de mais nada, a prática do despir-se de ideias preconcebidas, da prerrogativa do acerto e do julgamento. Com a prática vamos aprendendo a desenvolver um *eu observador* atento e a nos colocarmos em sintonia com o cliente e o pulsar do campo.

Mais do que outros métodos terapêuticos de que tenho conhecimento e nos quais possuo vivência – e são muitos –, as Constelações me ensinaram a ter serenidade, humildade e a treinar, mais e mais, o olhar atento e a percepção flutuante.

Mais uma vez reconheço, honro e recomendo a Escola da Dinâmica Energética do Psiquismo (DEP), que me proporcionou grande parte desse saber.

Também devo muito a minha formação em Homeopatia, aos conhecimentos trazidos por Hahnemann, que nos ensinam a desenvolver uma observação sem julgamento. Somente assim poderemos compreender o indivíduo a nossa frente e sua "outra canção", nas palavras do grande mestre homeopata indiano Rajan Sankaran. Ele denomina *outra canção* a sinfonia de sentidos manifesta pelo indivíduo ao adoecer, revelando sua similitude genuína com elementos da natureza nos reinos mineral, vegetal ou animal.

Escutar essa *outra canção* é, segundo Sankaran, a arte maior do homeopata, a chave para chegarmos a seu medicamento *similium*. A postura diante do paciente, na consulta homeopática, é também fenomenológica, a nos exigir atenção plena, sem julgamentos ou interpretações.

Nas Constelações, principalmente quando lidamos com situações dolorosas, doenças debilitantes, mortais, sintomas complexos, sem diagnóstico clínico, sem tratamentos estabelecidos, somos chamados a estar presentes com todo o nosso ser; a criar um campo de presença e a sustentar o processo de ajuda no limite das possibilidades.

Um adoecimento grave é sempre um acometimento sistêmico complexo. Podemos, com as Constelações, chegar a pontos originais ou repetitivos de causa e efeito; a processos onde o fluir energético da vida se interrompeu e, assim, atuar no sentido de sua desobstrução. Mas quantos e quais são esses nós energéticos envolvidos na questão apresentada, não sabemos. Tampouco podemos supor ou pressupor quais serão os movimentos seguintes.

Uma jovem me procurou com lesões de pele, circulares, mutáveis, indolores, suaves, mas *escandalosas* a seu olhar, nos braços e nas pernas.

Após vários médicos e procedimentos, o diagnóstico ainda duvidoso apontava para uma *doença autoimune*, e o tratamento proposto, sem promessas de resultado, era de medicamentos anti-inflamatórios, o que a cliente recusava.

Resolvi iniciar com um tratamento homeopático e, na anamnese, ela falava repetidamente da *sensação de ser julgada e excluída*, fosse no local de trabalho ou em quaisquer outros ambientes. Sentia-se infeliz pessoal e profissionalmente, e as manchas a incomodavam muito, piorando a sua *baixa autoestima*.

Além do tratamento homeopático, sugeri uma Constelação. Esta revelou um quadro familiar impressionante.

Como ela falava várias vezes da *sensação de ser excluída* também na entrevista inicial da Constelação, perguntei-lhe quem fora excluído do seu sistema familiar. Ela respondeu sem pensar:

– Meu bisavô; ele tinha hanseníase.

À medida que ela contava as histórias de seu bisavô, a quem sua mãe era muito afeiçoada, as lágrimas jorravam, e ninguém duvidou de que algo muito impactante estava relacionado a esse fato.

A hanseníase geralmente evolui com doenças e feridas de pele muito estigmatizantes e, no tempo do seu bisavô, pela precariedade dos tratamentos vigentes, era motivo de segregação e exclusão dos pacientes, que se viam retirados do convívio em comunidade pelo risco de contágio. Ela contou que o bisavô, desde que fora feito o diagnóstico, vivia isolado em uma casa, separado da mulher e dos inúmeros filhos que tivera. Pedi que colocasse representantes para ela, sua doença, seus pais, seus avós maternos e esse bisavô.

Foi uma dessas Constelações silenciosas em que as dinâmicas se revelam por gestos, movimentos e expressões dos representantes, sem necessidade de palavras.

A cliente confirmava com gestos, expressões e lágrimas. Um misto de medo, exclusão e culpa, muita culpa.

– Querido avô, eu vejo você – manifestou espontaneamente a representante da mãe da cliente, neta do bisavô doente. E a cliente confirmou: a mãe era a única que ia até sua casa e permanecia muitas horas com ele, sem medo, mas sem que os demais soubessem.

A cliente então foi se lembrando e fazendo livres associações. Ouvira falar que esse avô, como não tinha permissão de sair de casa, aprimorara-se como artesão e fazia muitas coisas que eram vendidas para sua subsistência. Relatou que ela e a irmã eram também artesãs, e aos poucos fomos percebendo a existência de um grande amor, vínculos e compaixão para com esse bisavô.

Quando, ao final, pedi que todos fizessem uma reverência ao bisavô e repetissem palavras de inclusão, a representante de sua doença manifestou o desejo de sair do campo. Pedi então que a cliente olhasse para suas lesões de pele e me veio uma frase: "Eu as tomo com amor", o que ela repetiu, com emoção, tocando gentilmente as lesões com as pontas dos dedos.

A cliente voltou a me procurar cerca de vinte dias depois da Constelação. Estava com uma expressão de alívio, confirmada pelas suas palavras.

Reunira-se com os pais, a irmã e as tias, e todos estavam impressionados com a Constelação. Outras tantas histórias familiares foram compartilhadas, com alegria e compaixão. Ela dizia estar *muito feliz*; contou ter diminuído sua preocupação com as manchas, pois percebera nelas um caráter *psicossomático*, aumentando durante períodos de estresse e diminuindo em períodos de serenidade. Ao exame, estavam bem mais tênues. Disse também que não se sentia tão excluída como antes em seu ambiente de trabalho. Falou ainda que percebeu – e que queria mudar isso – uma tendência a se excluir, como se devesse expiar alguma culpa.

Ainda não havia iniciado o tratamento homeopático, portanto, com certeza, as reações e os movimentos de cura que tinham surgido foram mesmo do processo da Constelação.

Posso ainda escutar essa melodia e rememorar alguns dos gestos e expressões dos representantes, mas o que me marcou mesmo nesse caso foram as suaves manchas circulares, que sinalizaram à cliente e a sua família as marcas da exclusão no passado e o caminho de amor e integração.

Aqui o sino tibetano, ao ser tocado com delicadeza, entoou uma melodia precisa, um som vibrante a nos proporcionar uma sensação de ordem, reconciliação e paz.

1.3. Lúpus eritematoso sistêmico

Minha mãe é perfeita, vivemos uma para a outra.

Durante um curso, uma paciente nos procurou para uma Constelação de Sintomas e Doenças. Tinha 32 anos e era portadora de lúpus eritematoso sistêmico. Ela tinha um filho de 8 anos, que logo ao nascer foi diagnosticado também com a mesma doença, antes que os primeiros sintomas surgissem na mãe.

Em sua história, chamou-nos a atenção a repetição de um padrão: mulheres sós que criavam os filhos longe dos pais. Sua mãe, após oito anos de namoro e alguns meses de seu nascimento, na véspera do casamento, decidiu abandonar o noivo, *sem nenhuma explicação*, e criar a filha sozinha. A paciente, da mesma forma, engravidou do namorado, mas não se casou com ele, e o filho tinha pouquíssimo contato com o pai.

Durante a entrevista inicial, a paciente expressou ressentimento com relação ao pai, que, segundo ela, *a ignorava e desprezava*. Ao se referir à mãe, no entanto, ela sorriu:

– Minha mãe é perfeita, vivemos uma para a outra.

Pedi que colocasse dois representantes para iniciarmos a Constelação: uma mulher para ela e outra pessoa, homem ou mulher, para representar sua doença, o lúpus.

Ela escolheu duas mulheres e as colocou distantes uma da outra, sem se verem. Elas se movimentaram com rapidez, encontraram-se, e sua representante, literalmente, agarrou-se à outra e manifestou *dor e desespero*. Permaneceu chorando alto e disse querer se fundir à outra, que a sustentava, esta também tomada por forte emoção.

Pedi que ela colocasse seu pai e sua mãe na Constelação. Ela posicionou o pai bem afastado, e a mãe, mais próxima, mas de uma forma que não conseguisse ver a filha.

Um primeiro movimento e o pai se afastou mais um pouco; a mãe olhou para a filha, ainda distante, e a representante da paciente, sem se soltar da *doença*, buscou o olhar da mãe.

Esta se manteve distante, relatando frieza em relação à filha e fazendo o movimento de se dirigir e confrontar o ex-noivo, pai da paciente. Questionado, o representante do pai manifestou *raiva e profundo ressentimento em relação à ex-noiva, além de indiferença em relação à filha*.

– Eu nem a vejo – ele disse.

Voltei-me para a paciente e percebi sua dor, mas sem espanto com relação à fala, que reconhecia ser *verdadeira*, mantendo-se atenta às movimentações da Constelação.

Sua representante aprofundou-se no choro e só não foi ao chão por estar amparada pela *doença*. A idealização de sua relação com a mãe, *perfeita*, dinâmica que percebemos presente em muitos casos semelhantes, não resistiu aos primeiros minutos da Constelação. A representante da paciente manifestou *completo abandono e dor*.

Diante da frieza e do congelamento da mãe, resolvi questionar a paciente sobre sua família de origem, e soubemos que também ela, a mãe, não tivera convivência com o pai.

Colocamos representantes para esses avós, e a mesma dinâmica se apresentou. Nesse caso, o avô mostrou-se mais emotivo, lamentando-se profundamente por não conviver com a família, sentindo mágoa com relação à ex-esposa, em um movimento amoroso em direção à filha.

Apresentei então falas que pudessem concluir esse processo de aproximação manifestado pelos representantes. A mãe da paciente fez uma profunda reverência e reconheceu a dor provocada pela falta do pai, permitindo-se ser abraçada, longamente, por ele. Pediu permissão à mãe para essa aproximação e relatou, ao final, *alívio e bem-estar*. Pôde então olhar e enxergar a filha.

Meu *insight* foi de promover naquele momento o encontro interrompido do casal, buscando o confronto e a liberação necessários, cuidando para que a filha, agora, já afastada *da doença* – tanto a representante quanto a paciente real ali presente –, pudesse testemunhar esse movimento de seus pais.

O pai teve muita resistência nessa aproximação, manifestando raiva e sentindo-se vítima daquela mulher que o abandonara na antessala do cartório, privando-o do convívio com a filha e da constituição de uma família, conforme era o sonho dos dois em oito anos de namoro.

Nesse ponto, percebemos os movimentos e as lealdades invisíveis quando uma mulher não se sente livre para viver feliz ao lado de um homem se sua mãe não o pode fazer. E também, não menos comum, temos aqui o comportamento vingativo do homem traído traduzido em indiferença e ausência em relação à filha.

Inocente, a criança busca sentido em permanecer na vida e sobrevive ao abandono paterno, vinculando-se simbioticamente à mãe, idealizando-a e defendendo-a da *agressividade* do pai. Essa mãe, porém, *perfeita* aos olhos da filha, está incompleta por não ter tomado os próprios pais, fiel à mãe no abandono do marido, também não se fazendo presente integralmente como mãe diante da filha.

A paciente e sua representante observavam e acompanhavam, atentas, em meio a grossas lágrimas, o diálogo dos pais. A representante da doença afastou-se vagarosamente, sem sair do campo, porém permanecendo visível aos demais.

Os vários anos de ressentimento não pareciam próximos de sofrer nenhum abalo, mesmo quando a representante da ex-noiva, de modo espontâneo, dobrou-se de joelhos diante do noivo abandonado.

– Por favor, por favor... – e nada; nenhum movimento do homem.

Diante dessa paralisia, optei por trazer o neto, o filho da filha vitimizada e fiel à sua dolorosa vingança.

O representante do neto não demorou para conseguir tocar o coração do avô, que cedeu e o envolveu em uma explosão de lágrimas e afagos. Somente então ele pôde se dirigir à filha, distante, suplicante por sua atenção.

A representante estava pronta, e seu movimento até o pai envolveu a todos, em uma emoção compartilhada e silenciosa.

Esse fora o movimento da representante, pois a paciente real ainda não se permitia, não conseguia dar esse passo.

Devemos respeitar esse tempo real, esse processo interno. Qualquer movimento brusco pode armar mais a defesa, podendo agravar a vivência traumática daquela mulher-menina ferida, gravemente adoecida, ali em busca de ajuda. Mas percebi uma leve inclinação de cabeça, uma discreta expressão de entrega, um sinal, quem sabe, de certa flexibilização a caminho.

Conduzi o representante do filho até a representante da mãe, que o abraçou com ternura.

– Meu tesouro.

Resolvi dar mais um passo e coloquei, eu mesma, alguém para representar o pai desse menino, ex-companheiro da mãe, e o movimento foi de aproximação e de lamento:

– Meu pai, que falta você me faz.

A paciente se inquietou um pouco, tanto ela mesma quanto sua representante. Resolvi conduzir um diálogo que intuí ser importante nesse processo de identificação e desidentificação psíquica, agora com foco no filho, em simbiose com a mãe, tomando para si a doença grave e o destino dela, talvez na expressão de seu amor imaturo e na ilusão de protegê-la.

– Querida mãe, por favor, me libere.

A mãe se assustou, e seu movimento foi de segurar o filho, da mesma forma que segurava a doença, como se precisasse dele, como se tivesse de tomar dele o que lhe faltava para estar na vida.

Acolhi então a paciente, ela mesma, buscando sua atenção. Com todo o meu ser, falei sobre os movimentos inconscientes de identificação, sobre o amor da criança e sua lógica, e sobre o risco de ele sucumbir nessa lealdade invisível.

Ela ouviu atenta, embora sem concordar por completo. Jamais pensara dessa maneira, mas revelou um pensamento interior, contrariando seus familiares, em relação à necessidade de promover o contato entre filho e pai.

Eu a coloquei no campo e liberei a representante. Ela assumiu esse novo lugar, algo vacilante; olhou para todos e declinou diante dos braços estendidos do *pai*. Virou-se e nos disse que não dava conta, *não ainda*.

Eu concordei; estava tudo certo, tudo tem seu tempo. Mas, como a percebi algo indecisa, em uma pausa e na expressão significativa do olhar, tomei a palavra e lhe pedi que olhasse de novo para o pai e repetisse: "Prefiro adoecer e até morrer a me dobrar diante de você, meu pai". Ela me olhou sem surpresa, não repetiu as palavras sugeridas, mas me disse sorrindo:

– Minha patroa bem que me fala que meu problema é ser muito orgulhosa.

Então lhe disse que ela precisara dele, do orgulho, para sobreviver, mas quem sabe não precisasse mais. Que refletisse sobre tudo que presenciara e vivenciara naquela Constelação.

Eu lhe desejei boa sorte e concluímos o atendimento. Ela me olhou com ternura, nos agradeceu *muito*, abraçou-me e partiu.

Movimentos interrompidos em direção aos pais, lealdades invisíveis dentro do sistema familiar, repetição de padrões, crenças, congelamentos do fluxo de amor, exclusões pedindo compensação são algumas das dinâmicas sempre presentes nas Constelações de Sintomas e Doenças. Quanto mais grave a doença, mais impactantes são os traumas do passado e os *emaranhamentos sistêmicos* – palavra cunhada da física quântica, significando *fortes correlações* que, em nível não consciente, podem interferir na vida atual das pessoas, prejudicando-as.

Percebemos vínculos significativos nas doenças psiquiátricas, em particular as psicoses, com histórico de violência na geração dos avós ou bisavós, assim como em doenças autoimunes, que repetidamente mostram movimentos interrompidos em direção aos pais.

São temas a serem aprofundados em pesquisas científicas. Por certo serão contribuições riquíssimas para o estudo do adoecimento humano, para a medicina preventiva, a clínica médica, a psicologia e a psiquiatria.

1.4. Infertilidade e fertilizações

Minha bisavó foi uma índia caçada a laço.

Motivo frequente de procura por uma Constelação Familiar, os transtornos de infertilidade, com ou sem causa orgânica estabelecida, mostram dinâmicas interessantes e muitas vezes revelam segredos e vinculações inconscientes. Relatos de resultados positivos, em vários países, reforçam essa procura, sendo um desafio para nós, os terapeutas de Constelações, pois a cada novo caso precisamos nos colocar presentes diante do que é genuíno e peculiar no caso em questão, ampliando sempre a percepção de todo o sistema, nesse caso, incluindo as dinâmicas familiares de origem de cada um dos cônjuges.

Não raramente encontramos obstáculos sistêmicos em ambos, embora apenas um apresente alteração clínica que justifique a infertilidade, levando-nos a pensar que a escolha de um parceiro infértil possa fazer parte de um *script* presente e atuante, mesmo que de forma não consciente.

Certa vez, um jovem casal me procurou. Eles tentavam engravidar há cerca de cinco anos e, após vários exames, a causa da infertilidade recaía sobre ela e sua *síndrome dos ovários policísticos*. Sua ovulação era irregular e, até o momento, não tinham obtido êxito nos vários tratamentos realizados.

Outras mulheres da família materna também haviam tido no passado esse diagnóstico, e algumas não tiveram filhos. Ela dizia:

– É de família, não há nada que possamos fazer.

O marido não apresentava alterações bioquímicas em seu potencial de fertilidade, mas dizia estar tranquilo e pronto para permanecer ao lado da esposa no que fosse preciso.

Pedi então que ela colocasse uma representante para ela e outro, homem ou mulher, para seu transtorno. Iríamos começar daí. Ela escolheu duas mulheres e as colocou bem perto, sendo que a representante do transtorno, colocada atrás da outra, seguia um movimento espontâneo e lento de afastamento, caminhando de costas, sempre mais para trás. Até que ela parou e disse:

– É aqui; aqui é o meu lugar – e cruzou os braços sobre o ventre, levemente encurvada, deixando transparecer uma expressão de dor.

A representante de nossa cliente e ela própria ali ao meu lado viraram-se para observar com mais atenção aquela cena, muito tocadas. Perguntei à representante do transtorno o que estava acontecendo, qual era sua sensação ali naquele papel. Ela disse:

– Dor e raiva.

Seu corpo tremia e, por um instante, pensei que ela fosse ao chão.

Nesses momentos, muitas vezes nos vêm pensamentos, imagens, intuições, possibilidades. Prefiro sempre acompanhar o cliente, buscando uma confirmação por meio de fatos reais.

– O que você acha que está acontecendo? Quem seria esta mulher? – perguntei à cliente, e ela me respondeu de imediato:

– Lembrei-me agora de uma história que minha mãe nos contou, sobre sua avó, minha bisavó. Era uma índia que foi caçada a laço, ainda adolescente, sendo retirada de sua tribo por um homem branco, meu bisavô, com quem ela constituiu família.

Essa fora a minha intuição: *mulher indígena caçada a laço*, intuição reforçada por uma estatística gritante em nosso país, principalmente em nossa região. Milhares de nós, brasileiros, temos na árvore genealógica avós que foram índias retiradas de suas tribos com violência, ainda meninas, sendo obrigadas a manter relações sexuais com homens brancos, estes também presentes, é claro, em nossa ancestralidade, com quem tiveram muitos filhos, muitos abortos, natimortos e diversos históricos de morte materna no parto ou puerpério.

Com as Constelações Familiares no Brasil, estamos tendo uma oportunidade ímpar de olhar para essa história, compreender melhor suas consequências transgeracionais, diagnosticar com mais precisão a dimensão desse trauma civilizatório e, quem sabe, começar um processo de identificação, reverência, integração e cura.

A cliente estava em lágrimas. Sua representante aproximou-se um pouco mais da *avó índia*, buscando seu olhar e *a permissão para um abraço*. A avó índia, representando a bisavó materna da cliente, apresentou um estado de congelamento e confusão mental.

Nesses momentos, aprendi a aguardar um pouco, a respirar e acolher mentalmente aquela cena, aproximando-me da representante e autorizando-a a deixar de lado uma parcela daquela sensação perturbadora. Já havíamos compreendido tudo e podíamos imaginar toda a dor e o impacto desse episódio na psique daquela criança de outrora, bem como toda a reverberação desse episódio nas gerações seguintes.

As palavras capazes de adentrar esse emaranhamento sistêmico, os gestos com força suficiente para tocar esse agregado inerte e liberar os nós que o conservam são ditados muitas vezes pelo terapeuta, sendo repetidos pelo representante ou pelo próprio cliente – apenas se fizerem sentido para ele; se forem sentenças verdadeiras, em consonância com sua percepção e sua sensação internas.

Neste caso, a avó índia foi aos poucos se soltando, descruzando os braços, levantando o corpo e, enfim, enxergou a bisneta ali na frente e escutou com atenção suas palavras:

– Minha querida bisavó, eu vejo você, eu sinto um pouco a sua dor. Eu me conectei a você e, por amor, assim como minhas tias, também me fechei à reprodução desse gesto de violência – fez uma profunda reverência, indo até ao chão e estendendo os braços até os pés da *bisavó*, que foi transmitindo, por meio de sua representante, expressão de força, serenidade, dignidade e alívio. Levantou-se com a ajuda da bisavó e as duas se entregaram a um abraço longo e silencioso.

Outras palavras se fazem necessárias, pois após a identificação do vínculo é preciso se libertar dele.

– Querida bisavó, me abençoe, me olhe com amor se eu puder ser feliz como mulher e se eu puder ser mãe. Contarei aos meus filhos a nossa história e os ensinarei a honrar nossa origem e a tê-la sempre presente em nossos corações.

Coloquei a cliente em seu lugar, para que ela própria pudesse sentir o calor do abraço daquela bisavó índia, agradecendo à representante, que, ao final, revelou ter também na família uma *avó índia caçada a laço*, confirmando a tese de sua recorrência em nosso meio, assim como a observação de a escolha dos representantes ser movida pelo campo, atendendo a uma sincronicidade impressionante.

Terminava assim aquela Constelação. O marido participara com muita presença e interesse, e os dois saíram de mãos dadas e agradecidos.

Três meses após essa Constelação, recebi dessa cliente uma mensagem anunciando sua gravidez. Compartilhei com ela sua alegria e os aconselhei a guardarem a discrição e o silêncio recomendados nesses primeiros e preciosos meses de uma gestação. Soube depois que tudo correra muito bem e que eles tiveram um lindo e saudável bebê.

Claro que pode ter sido uma feliz coincidência; sabemos que esse diagnóstico não representa uma infertilidade irreversível. Mas a repetição de casos como este, compartilhada por muitos colegas consteladores, sugere-nos que o processo de identificação e desidentificação de vínculos transgeracionais tem real impacto terapêutico.

Outras várias situações em que *avós índias caçadas a laço* surgiram revelaram vínculos com episódios depressivos, transtornos psicóticos puerperais, fobias, transtornos de relacionamento conjugal, dores pélvicas crônicas, movimentos interrompidos em direção à mãe ou ao pai, indiferença com relação aos filhos, transtorno de personalidade dissocial, além de outros exemplos. Afetavam homens, mas, principalmente, mulheres.

Certa vez, fui representante de uma dessas avós índias em uma Constelação conduzida por uma colega. A cliente era portadora de um quadro depressivo recorrente.

Ainda posso acessar a sensação interna de total desespero daquela *avó-menina-índia*, seu sentimento de abandono, de dor profunda em busca da tribo longínqua, de culpabilização de *meus pais* e de *meu povo*, que o permitiram, de ódio e desejo de vingança dos que *me sequestraram*. Nesse caso, o que me sustentava e me mantinha viva e em pé era a dignidade presente em minhas entranhas, bem como um propósito certeiro de vingança. Um pensamento me veio naquela representação: *você pode tomar o meu corpo, mas eu não entrego minha alma.*

Quantas vezes estamos diante de sentimentos e comportamentos inexplicáveis, de abandonar e ser abandonado, de desespero no convívio com o outro, de ódios sem sentido no seio familiar a provocar infelicidade, sintomas e doenças. Com as Constelações, ampliamos nossa consciência sobre o ser humano, sua beleza e sua tragédia. Ampliamos mais um pouco, também, o olhar para o horizonte e os caminhos em direção ao sol.

Há outro caso de infertilidade que considero interessante ser relatado: um casal, também jovem, na faixa dos 30 anos. Ela fora diagnosticada com menopausa precoce de causa idiopática, isto é, sem que a medicina pudesse explicá-la, e ele, embora sem alterações clínicas, sustentava um discurso, desde antes do casamento, de que não pensava em ter filhos, como se tivesse certo medo do processo de gravidez.

Começamos a Constelação com um representante para cada um deles e um outro para a infertilidade do casal. Mesmo que a questão clínica dela fosse a causa mais evidente da infertilidade, chamou-me a atenção o discurso do marido de não pensar em ter filhos.

Os dois foram colocados um ao lado do outro, e a representante da infertilidade, um pouco atrás, olhava para os dois, sem preferência nem movimento. Resolvi então pedir que colocassem representantes para as famílias de origem, e os pais aproximaram-se de cada um dos respectivos filhos.

Muitas vezes temos um quadro assim em uma Constelação: ao mesmo tempo, dois ou mais sistemas são colocados, e os movimentos acontecem simultânea e individualmente. Interessante aqui é que a pessoa que representava a infertilidade do casal caminhava de um lado para o outro, identificando-se com ambos os sistemas.

A dinâmica da mulher mostrava um movimento interrompido em direção à mãe, como se esta estivesse ausente e distante da filha. A filha, por sua vez, manifestava sentimentos ambivalentes, ora de raiva por ser abandonada pela mãe, ora de querer cuidar dela como uma filha pequena.

Do lado do marido, o representante falava em *medo* e tinha um vínculo muito profundo com a mãe, algo simbiótico, como se um dependesse do outro. Nosso cliente então se recordou, emocionado, de uma história que a mãe lhe contara quando ainda era criança. Até o momento, ele havia se esquecido desse fato e nunca o compartilhara com ninguém, nem mesmo com a esposa. Nos primeiros meses de gravidez a mãe fora diagnosticada com um câncer e o prognóstico que lhe fora repassado seria de pouco tempo de vida, talvez o suficiente para levar a gravidez até seu final. Ela passou a conversar com o filho em gestação constantemente, *preparando-o* para uma vida sem mãe. Ela lhe repetia:

– Meu querido filho, que pena, talvez eu não sobreviva ao parto, mas você vai nascer bem e vai ser criado com muito amor pelo seu pai, não se preocupe.

A mãe não morrera no parto nem depois; permanecera viva, e o diagnóstico foi refeito: seu *câncer* era uma doença curável. Naquele momento, nosso cliente olhou para sua esposa e disse entender agora seu receio, sua aceitação e certo alívio pela infertilidade da esposa. Ele tinha medo de que ela morresse na gestação ou no parto, conforme escutara durante todo o tempo que permanecera no útero da mãe. Essa foi sua própria conclusão, e pude entender então o movimento da representante da infertilidade, que se identificava ora com um, ora com outro. Minha hipótese é que ambos traziam *scripts* internos que afastavam a gravidez, e esse talvez fosse um dos laços fortes que os uniam. Estava tudo certo.

A Constelação ajudou-os a compreender melhor a realidade, a *fortalecer os laços* que os uniam, nas palavras da esposa, que seguiu por um tempo em processo psicoterapêutico comigo. Eles estavam mais serenos na decisão de construírem um lar sem filhos, embora não descartassem a possibilidade futura de uma adoção. A verdade é que esse casal, unido também no compromisso do desenvolvimento espiritual e em uma belíssima missão junto à comunidade, segue exercendo ali sua maternidade e paternidade, de forma plena e feliz.

Nessa Constelação, um outro fato nos chamou a atenção: a representante escolhida para ser a mulher, não sabíamos, estava também em tratamento por infertilidade e, alguns meses depois, engravidou e deu à luz uma menina. Ao final da Constelação, ela agradeceu a oportunidade de ter trabalhado também uma questão sua.

Isso é muito recorrente nas Constelações. Os representantes, e mesmo os que estão presentes no *set* terapêutico, são beneficiados de alguma maneira, trabalhando questões suas enquanto representam ou assistem a uma Constelação.

Diante do crescente número de reproduções assistidas, chamadas também de *fertilizações*, sendo elas de vários tipos, entre eles, *fertilizações in vitro* e *doação de óvulos*, assim como a novidade do *congelamento de embriões*, as Constelações Familiares têm sido procuradas para ampliar a consciência sobre esse fenômeno, compreender melhor suas dinâmicas ocultas e reforçar sua eficácia ou ajudar na tomada de decisão, muitas vezes difícil.

Minha experiência e discussões em fóruns internacionais pedem cautela. Não podemos tirar conclusões precipitadas nem aderir a atitudes padronizadas. Talvez seja essa a área da vivência humana em que nós, os consteladores, mais erramos, quando nos atrevemos a dar diagnósticos e prognósticos a clientes fragilizados. Podemos, sim, trabalhar com essa temática, ajudar o cliente a ampliar sua percepção de todo o contexto para, depois, tomar sua decisão.

Uma outra cliente procurou a Constelação preocupada com a filha de 5 anos, que apresentava infecções de repetição, uso frequente de antibióticos, uma internação por pneumonia aos 3 anos, distúrbios no crescimento e inapetência. Na anamnese, a mãe nos contou que essa filha foi fruto de uma fertilização e que foram implantados três embriões, sendo que somente ela se desenvolveu. Pedi que colocasse representantes para ela, o marido, a criança e os outros dois embriões. A dinâmica que se revelou foi de um vínculo profundo entre a criança e os dois *irmãos*, os embriões que não vingaram. Palavras e gestos de identificação, de reconhecimento e de lamento concluíram aquela colocação e trouxeram, de imediato, uma expressão de alívio para a cliente. Ela voltou cerca de doze meses depois ao nosso grupo semanal de Constelação e relatou, agradecida, a evolução positiva do quadro clínico da filha.

Esta e outras Constelações nos apontam a possibilidade de impactantes vinculações sistêmicas entre irmãos de uma mesma gestação.

Também acompanhei uma mãe cujo filho, de 3 anos, foi fruto de uma *óvulodoação*, sendo seu marido o pai biológico. O filho manifestava, desde muito cedo, um comportamento de irritação e agressão voltado sobretudo a ela. A orientação que julgamos pertinente nestes casos é incluir, no pensamento e nas preces, essa mãe biológica que pertence agora ao sistema familiar e não pode estar excluída. Na minha opinião, não se trata de iniciar um processo de identificação dessa mãe biológica, tampouco de concluir por um prognóstico sombrio com relação a essa criança ou ao sistema familiar em questão.

Nosso papel de focalizadores ou terapeutas de Constelações Familiares não pode ser confundido com o de um juiz que condena ou absolve. Muito menos com o de um guru espiritual.

A complexidade dos novos sistemas familiares nos exige cada vez mais uma postura livre de julgamentos, aberta e cautelosa, presente, terapêutica, profissional, amorosa e humilde diante do fenômeno que se apresenta.

As Constelações podem, em um contexto acadêmico de pesquisa, prestar um grande serviço na compreensão das implicações dinâmicas, biológicas e espirituais em processos de fertilização – um campo ainda pouco explorado e pleno de interrogações.

1.5. Câncer

1.5.1. Representação do destino de uma paciente terminal

Está tudo certo!

O que percebemos com as Constelações é que toda trama é terapêutica. A oportunidade de ser um *representante* em uma constelação pode ter um efeito profundo sobre a pessoa. O simples fato de estar presente no grupo, assistindo ao trabalho, mobiliza e impacta o sujeito. Afinal, somos a mesma humanidade e nos identificamos com muitas das histórias e dos detalhes vivenciados pelos clientes.

Durante o meu curso de formação em Constelações Familiares, tive inúmeras e riquíssimas oportunidades de ser *representante* em Constelações – personagens que nunca havia imaginado viver, muitos deles ainda presentes em minha memória e cuja lembrança me toca a alma.

Fui mãe que perdeu o filho, amante apaixonada, avó índia caçada a laço, mulher preterida, suicida, irmã abortada, filha adotiva, mãe cúmplice da violência do pai contra a filha, filha em movimento simbiótico com a mãe ou afastada dela, esposa, ex-esposa e muito mais.

Fui representante de sintomas, doenças, vida, morte e destino em Constelações belíssimas, muitas das quais conduzidas por nossos mestres alemães Gunthard Weber e Jakob Schneider. Também tive momentos de rico aprendizado sendo representante ou levando casos para supervisão em Constelações conduzidas por Bert Hellinger, o criador das Constelações Familiares, em seminários no Brasil e no exterior.

Mas ser o *destino* de uma paciente com câncer na face, em fase terminal, foi a experiência que mais me impressionou. A ocasião se deu em Belo Horizonte, sob a condução de Gunthard Weber; tratava-se de uma paciente trazida por nosso amigo coordenador do curso, psicólogo e um dos primeiros e grandes consteladores do Brasil: Reginaldo Coelho.

Regis, como carinhosamente o chamamos, antes que a paciente entrasse na sala, explicou tratar-se de uma mulher com câncer em fase terminal, após inúmeras cirurgias e quimioterapias. Disse que ela estava entregue a um sofrimento profundo, revoltada com sua doença, com muita dificuldade em lidar com a morte que se aproximava e que aceitara a Constelação como terapia auxiliar nesse seu momento de vida.

Aquela mulher esquelética chegou apoiada com muita dificuldade até a cadeira de cliente, ao lado da do terapeuta. Trazia o rosto escondido atrás de um lenço e, ao retirá-lo, vimos, com a respiração coletivamente suspensa, aquela enorme deformidade no lado esquerdo da face.

Poucas vezes vi tanta delicadeza, amorosidade e respeito por parte de um terapeuta. Gunthard Weber a abraçou por todos nós. Demorou-se o suficiente para que também pudéssemos nos acalmar, nos centrar e nos preparar para a Constelação.

As palavras da cliente vinham de uma voz quase inaudível, e o terapeuta a poupou o máximo que pôde. Não havia necessidade de maiores informações. Estava tudo ali, estampado na face.

Ele então lhe sugeriu que fossem colocados quatro representantes, que ele mesmo escolheria e aos quais pediria que achassem seu lugar: ela mesma, seu destino, a vida e a morte.

Coube a mim representar o destino. Antes mesmo que ele me escolhesse, eu já estava no papel – no *campo*, como dizemos. Isso costuma acontecer nas Constelações: a pessoa sente que já está representando algo ou alguém antes mesmo de ser escolhida.

Mal fiquei em pé e já me senti guiada para me colocar ali, à frente e de costas para a representante da cliente. Um caminho no chão, logo à minha frente, me conduzia, devagar, até determinado ponto. A sensação era de que eu estava em estado hipnótico. Não percebia nem escutava mais nada ao meu redor. Apesar de sentir um fio de conexão com a cliente, atrás, eu era quase independente dela, inexorável em meu percurso, como se cumprisse uma missão. Os outros elementos, vida e morte, inexistiam para mim naquele instante.

Com lentos e pesados passos, fui caminhando até esse ponto que se iluminava em um lugar no chão da sala. Senti que chegara até ele e então um movimento acrobático me fez dobrar a coluna, o que por certo não conseguiria fazer em um estado normal. Ainda em ritmo lento e cadenciado, quase inconsciente, dobrei-me e recolhi algo no chão, naquele ponto que se destacava ao meu olhar. Segurei nas mãos esse algo precioso recolhido do chão, e todo o meu ser se viu tocado, vibrante, trêmulo, emocionado e feliz. Mais vibrante e feliz ainda quando, seguindo esse mesmo compasso melódico, levei a preciosidade recolhida até meu peito, meu coração, e em seguida entendi que seu destino final era a face e a levei até lá.

Pronto, era isso.

Não importava bem o que era, o que esse algo representava. Agora eu o havia recolhido e integrado ao meu ser. A sensação era essa, de plenitude, de integração, de um resgate profundo, como em um estado meditativo, em que nos percebemos em unidade com o todo, em que não há dúvida nem dor; não havia mais sofrimento, só um estado de êxtase. Integrado ao coração.

Depois, eu já percebia um outro movimento, como se tivesse concluído uma etapa, uma missão. Quis me virar e olhei diretamente para a paciente ali sentada, atrás dos demais representantes. Eu a senti presente e, como que saindo da hipnose daquele papel, quis lhe restituir seu destino e compartilhar com ela aquele bem-estar inexplicável.

Gunthard já havia percebido que a Constelação chegara a seu ponto final. Soube depois que o movimento dos representantes da cliente, da vida e da morte também apresentaram um balé delicado e silencioso de integração. Eu ainda estava tomada pelo papel: o destino tão precioso daquela paciente. Meu movimento era de aproximação e de beijar-lhe a face, sem temor, incluindo aquela tumoração já não tão estranha nem repulsiva ao meu olhar.

A Constelação havia terminado enquanto eu caminhava em direção à paciente. Eu a abracei, mas recuei do movimento de beijar-lhe a face tomada pelo tumor. Em um instante percebi que ela resistiria a esse meu ato. Ela voltou a cobrir a face, agradeceu com um olhar profundo e se retirou.

Eu, como todos os demais, precisava de uma pausa. Estava certa de que aquela experiência iria impactar minha vida, como pessoa e como terapeuta. Também entendi que precisava escrever sobre aquela vivência única, mas que era necessário esperar que o tempo me desse essa autorização.

Regis nos contou posteriormente que, após a Constelação, a paciente foi tomada por uma calma impressionante. Reuniu-se com a família, fez seu testamento e morreu em paz em poucas semanas.

A vida, a morte e o destino, quando representados em uma Constelação Familiar, permitem um olhar mais profundo sobre a pulsão desses elementos na psique da pessoa em questão, assim como permitem um movimento interno integrativo, um rompimento da estagnação e da fragmentação. Bert Hellinger costuma dizer, em seus seminários, que "a morte é maior do que a vida, mas esta tem precedência", bem como nos ensina a aceitar com respeito o *destino* do paciente.

A oportunidade criada para que uma pessoa possa olhar, compreender e acolher essas verdades internas, dimensioná-las e localizá-las, longe de representar uma paralisia diante de um destino difícil, pode ser a chave que abre portas para o encontro dos recursos reais de enfrentamento e resolução.

A palavra que me vem nesses processos é *psicossíntese*, e, de fato, reconheço nesse tipo de Constelação profundas similitudes com a escola de Roberto Assagioli, já citado, que nos deixou um tratado do ser humano integrado com suas *subpersonalidades*, seu *eu real*, seu *eu observador consciente*, seu *eu superior* sob a influência, ainda, de um *inconsciente coletivo* atuante.

Representar aquele destino ensinou-me a ter uma postura de mais serenidade e respeito diante de pacientes graves e terminais.

O profissional que pretende trabalhar com Constelações precisa desse preparo, desse afastamento respeitoso, mas sem perder a conexão amorosa e o compromisso de acompanhar o paciente em sua questão.

Não é verdade que o campo cuida de tudo. Em uma Constelação, o focalizador, o terapeuta ou o ajudante, como gosta de denominar Bert Hellinger, precisa estar em sintonia com esse algo maior que rege o trabalho, sem intenção, mas comprometido com o êxito do processo em andamento.

Muitas vezes esse procurado *êxito* não é o final que imaginamos e, principalmente, queremos. Saber o momento de intervir, de se afastar, de concluir, de seguir, de promover movimentos e falas, de se calar e observar, de permitir e acolher, de aceitar – sempre em conexão respeitosa e atenta com o cliente.

Sabedoria, conhecimento e arte, eis um aprendizado que vai além dos livros, embora não prescinda deles. Estar sempre em processo terapêutico, em autoanálise e autotransformação, para que nossas questões mal resolvidas, nossos emaranhamentos sistêmicos originais não se projetem nem prejudiquem os clientes.

Inúmeras clínicas na Alemanha, que lidam com pacientes crônicos, graves, vêm se utilizando das Constelações Familiares como terapêutica ímpar nos cuidados chamados *paliativos*, imprescindíveis para a cura da alma que essas doenças apontam e proporcionam. Oferecer essa terapêutica passou a ser, para alguns convênios médicos na Alemanha, um quesito importante para credenciamento de clínicas.

Trazer ordem e paz ao momento da morte, para o paciente e sua família, é uma bênção sempre almejada e muitas vezes distante.

As Constelações Familiares, ao lidarem com esses quadros graves, oferecem oportunidades ímpares para pacientes, familiares e amigos, proporcionando um campo de entendimento, aceitação, paz, serenidade e equilíbrio espiritual.

1.5.2. Recidiva de câncer de mama

Meu câncer voltou.

As Constelações Familiares têm sido procuradas por pacientes portadores de doenças crônicas, entre elas, o câncer, de forma crescente. Conduzir um trabalho desses exige muito de nós, terapeutas de Constelação – encontrar uma postura que acolha sem ultrapassar o limite da ética e o compromisso com a verdade. Estar presente e livre ao mesmo tempo, ser compassivo sem se perder na pena, comprometer-se com o paciente que sofre ali a seu lado sem expectativas nem falsas promessas, estar atento e aliar-se a algo maior em que você acredita, confia e ao qual se entrega.

Em mim percebo que vem sempre um tremor interno, que procuro controlar com minha respiração mais consciente, quase rumorosa, enquanto descruzo as pernas e busco pousar meu olhar no dele, ou dela, ali a meu lado.

Trata-se de um estado de presença que vamos aperfeiçoando com o passar do tempo. Nunca começo uma Constelação sem um exercício de centramento e silêncio envolvendo todo o grupo. Reforço com o cliente que ele deve se sentir como se estivéssemos a sós no meu consultório; digo que preciso senti-lo, percebê-lo, escutá-lo com todo o meu ser.

Esse preparo torna-se imprescindível, na minha opinião, sobretudo quando se trata de sintomas ou doenças graves. A Constelação já começa aí, nos preâmbulos e no exercício que devemos fazer para nos esvaziarmos completamente, remetendo todos os conhecimentos e experiências anteriores para algum lugar de nossa consciência, a fim de que possam ser resgatados a qualquer momento, ou não. Erraremos menos quanto menos julgarmos saber do que se trata cada caso, cada emaranhamento, cada dinâmica oculta, cada história e cada mistério a ser desvendado ou não. Colocarmo-nos atentos e presentes, livres e perceptivos diante das informações e dinâmicas reveladas por cada Constelação é a condição para atuarmos nesse método fenomenológico.

– O meu câncer voltou – com essas palavras, uma senhora de 58 anos lançou-me um olhar de súplica e baixou a cabeça.

Esperei alguns segundos, respeitando seu silêncio e buscando conexão com minha alma e a dela. Respirei e coloquei meu braço discretamente ao seu redor. Ela levantou o olhar e continuou:

– Sou espírita, estou conformada, seja o que Deus quiser – disse, enquanto seus olhos mais uma vez dispersos e uma inquietude que se iniciava em seu corpo lhe desmentiam ao meu olhar.

Respirei, recolhi delicadamente meu braço, sem perder a conexão com ela, no entanto, e aguardei. Que direito tinha eu, refletia, de lhe contradizer naquele momento? Nós duas sabíamos, e todo o grupo, com certeza, que seu sofrimento e seu inconformismo culposo gritavam dentro dela, destruindo mais células talvez do que o próprio câncer.

Quando ela se voltou para mim de novo, nossos olhares se encontraram e, sem necessidade de palavras de autorização, ela se permitiu um choro profundo, velho de tão guardado; foi saindo junto com as lágrimas, aos borbotões. Novamente, eu a enlacei e procurei acolhê-la com todo o meu ser, respirando para não lhe tirar a dignidade nem a força de seu pranto, ciente de que, naquele instante, era a única postura que me cabia: uma transferência consciente de alguém que lhe faltava, talvez a mãe, sem me perder da terapeuta que eu era, sem julgamentos e sem receios.

Ao mesmo tempo que a acolhia na sua dor, agora confessa, sinalizava para o grupo que respirasse e sustentasse o campo. Era uma forma também de os alertar para não mergulharem nas próprias dores ali lembradas, o que poderia comprometer o trabalho que iniciávamos.

Acolhimento respeitoso sem emaranhamentos, aceitação do outro e seu destino, centramento e escuta dos sinais do corpo e da alma – nesse caso, valemo-nos de todos esses ensinamentos.

Ela se refez após alguns minutos. Aquele choro lhe lavara a alma, como sabemos acontecer; sua postura era de maior presença, seu olhar era mais vivo e real.

Da sua história recolhemos: um pai que havia morrido cedo, de uma cardiopatia, uma mãe permanentemente enlutada desde então. Ela era a filha mais velha de seis irmãos e teve dois filhos de relacionamentos diferentes, um rapaz de 28 anos e uma moça de 21, que viviam, ambos, com ela, solteiros. O pai da filha, seu grande amor, havia morrido em um acidente de trânsito, quando a filha ainda era pequena. Havia casos de câncer na família da mãe. Ela tinha se tratado de um câncer de mama aos 45 anos e agora estava com recidiva e metástases.

Pedi-lhe que colocasse um representante para ela e outro para a sua doença, o câncer recidivado. Para ela, uma mulher, e para a doença poderia ser um homem ou uma mulher. Ela escolheu um homem para a doença e o colocou atrás de sua representante. Começaríamos assim, somente com esses dois representantes. A mulher que a representava olhava persistentemente para o chão, e o homem, no papel do câncer, permanecia estático diante dela, reivindicando atenção; dizia não ser *nem bom nem mau*, queria apenas ser visto. Por longos minutos, a Constelação permaneceu assim, estática.

Pedi então que ela colocasse representantes para seus pais e o ex-marido falecido, pai da filha mais nova.

A representante da paciente permanecia com o olhar voltado para o chão, imóvel, sem contato com os elementos novos colocados. O representante da doença, porém, mostrava vida e movimento; aproximou-se dos pais, abraçou longamente o pai e repetiu palavras amorosas de saudade e falta. Reverenciou os dois, pai e mãe, em movimentos espontâneos e precisos.

Enxergou depois o ex-marido falecido precocemente e aproximou-se dele. Nesse momento, a representante da paciente se levantou, foi até o falecido companheiro e o abraçou com ternura. O movimento dos dois foi no sentido de aprofundar a aproximação, quase uma fusão onde nada mais importava.

A doença agora agia como um *eu observador* da paciente; inquietou-se, manifestando contrariedade com a permanência do contato dos dois.

Eu, como terapeuta, ajudava a cliente a tomar consciência do que se revelava, tentando entender junto com ela, inquirindo-a sobre o significado dos gestos e das falas.

– Faz sentido? – gosto de levantar essa questão nessas horas, em uma postura de quem se coloca diante do fenômeno a ser lido, compreendido; de quem não tem a resposta pronta – e eu não tinha mesmo; de quem abre mão do julgamento e apenas observa, aceita, acolhe e busca integrar. O representante da doença, muitas vezes, como nesse caso, atua como um fio condutor, um eu atento, um guia. Sua inquietude reverberava em mim, e eu olhava todo o cenário com a cliente.

Quase um pensamento em voz alta, eu disse à cliente que sua representante parecia querer se reunir com o falecido marido, mostrando um movimento em direção ao morrer.

Disse isso e aguardei, olhei para a cliente, esperei sua reação, fui tateando sua percepção, ajudando-a a integrar movimentos ocultos que lhe tomassem, inconscientes, nesse caso – um movimento em direção à morte, em direção ao morrer.

"Somos dominados por tudo aquilo com que nosso *eu* se identificou. Podemos dominar e controlar tudo aquilo de que nos desidentificamos", afirma-nos Assagioli. As Constelações permitem esse mergulho profundo em nossos *eus internos*, os movimentos e as ilusões que nos aprisionam, assim como nos oferecem uma ferramenta poderosa de libertação.

Uma doença grave, um câncer sem controle, uma doença autoimune em progressão... Com as Constelações temos percebido a repetição de dinâmicas que apontam para complexas vinculações, e não somente um ou outro emaranhamento. De qualquer forma, nesse caso, era evidente o impulso interno, o desejo de reencontrar o falecido marido, embora atuasse também, na minha observação, em um movimento em direção ao pai, falecido precocemente. Seu câncer surgira quando o marido ainda era vivo, mas estava sob controle, até que voltou de modo invasivo após a morte dele.

Em situações como essa, tem pouco efeito um discurso do terapeuta sobre o bem e o mal, o certo e o errado, o compromisso moral com a vida, o suicídio indireto ou outros argumentos.

Mas, no sentido de ajudar a cliente a ter diante do olhar todos os elementos presentes, trouxemos representantes dos filhos vivos ou da própria vida.

Gosto, nesses casos, de trazer dois elementos para compor o quadro da Constelação: um para a vida e outro para a morte no sistema do cliente. Reverenciar a morte, percebê-la com respeito, mesmo que não consigamos olhá-la totalmente de frente, é importante e tem impacto no ficar na vida, *com tudo de bom que ela nos oferece.*

Pedi então que a paciente escolhesse e colocasse representantes para os seus dois filhos, sendo que a filha mais nova estava também presente no atendimento. Os filhos, por meio dos representantes, demonstravam dor, apreensão e sentimento de impotência diante do quadro percebido; a filha presente chorava tanto quanto sua representante, o que provocou na representante da paciente um discreto movimento de afastamento do marido morto e um olhar, ainda tímido, em direção à vida e aos filhos.

Quando concluir uma Constelação? Essa é uma questão presente em todos os grupos de estudo sobre o tema, nos mais variados países e tempos. Em minha experiência e meu aprendizado continuado com mestres e colegas consteladores, esse momento é único e individual, sendo percebido no campo, em sintonia com o cliente e sua força.

Muitas vezes, a Constelação deve ser encerrada com os processos ainda por concluir. Um retrato dos movimentos internos e da estagnação em que a pessoa se encontra já é terapêutico o bastante. A resposta a cada situação vem também desse campo fenomenológico. Para tanto, temos de estar centrados no ser, pois as armadilhas do ego, que, diante do público, quer mostrar seu poder quase mágico de encontrar uma solução para seu indefeso cliente e receber ao final todos os aplausos, podem ser fatais.

Ao nos mantermos sintonizados com o cliente, saberemos quanto ele ainda está presente e acompanhando o processo, ou se está em estado de desligamento e negação.

Eu entendi que era o momento de interromper a Constelação. Qualquer coisa a mais que eu dissesse ou qualquer movimento que conduzisse seriam artificiais e até desrespeitosos com a paciente e seu momento.

Agradeci aos representantes, e a paciente permaneceu sentada a meu lado por mais alguns minutos. Seu olhar era de agradecimento e de certa expectativa. Expectativa, talvez, de que eu lhe dissesse ainda algo. Respirei junto com ela, abracei-a com suavidade e lhe desejei boa sorte. A filha se aproximou e eu a abracei também, em silêncio.

Ao final de um ciclo de atendimentos com Constelação, gosto de fazer um exercício meditativo, em círculo, com todos, de mãos dadas, olhos fechados. Visualizamos mais uma vez as Constelações ocorridas, abraçando mentalmente todo o sistema e as pessoas que foram mencionadas com amor. Damos então um passo para trás, afastando-nos e voltando a nos conectar conosco. Assim evitamos maiores interferências e desordens nessa arte do cuidar e reforçamos nossa postura ética diante de um trabalho terapêutico.

Os participantes são orientados a não seguirem conversando sobre a Constelação e a evitarem gestos que possam tirar do cliente sua força e seu protagonismo.

Bert Hellinger desenvolveu uma teoria sobre *as ordens e as desordens da ajuda*, um guia a nos orientar no trabalho com pacientes. Em uma dessas ordens, ele nos aconselha a *nos submetermos às circunstâncias e somente interferir e apoiar à medida que elas o permitirem*. Uma *desordem da ajuda* pode ocorrer quando o destino do cliente nos é muito pesado e queremos, então, mudá-lo, por não o suportar, o que leva o cliente, muitas vezes, a se compadecer e querer então nos ajudar, invertendo por completo os papéis do processo terapêutico em questão. Um tratado completo dessas observações dele estão no livro *Ordens da Ajuda*.

As Constelações Familiares, em todo o mundo, vêm se especializando em lidar com situações graves, destinos difíceis, doenças incuráveis, sintomas incapacitantes e conflitos relacionais complexos. Ser um focalizador desse método exige, portanto, um preparo que vai além de apenas aprender uma técnica, passando por um contínuo processo de autoconhecimento e amadurecimento como pessoa e terapeuta, além do permanente aprimoramento no estudo do comportamento humano. Tudo isso precisa estar aliado, porém, ao desenvolvimento de nossas capacidades de observação, percepção, compreensão, intuição e sintonia.

Ao colocarmos representantes para um sintoma ou uma doença – outros *eus* de um mesmo sujeito –, temos a oportunidade de identificar processos internos e inconscientes associados ao adoecer e trazê-los à luz da consciência, onde poderão ser vistos, identificados e integrados.

Acredito ser no terreno da medicina e da psicologia, do adoecer e do curar-se de forma geral, que temos um dos maiores ganhos com o método das Constelações Familiares.

# 2

Constelações em Transtornos Psiquiátricos

2.1. Crianças com transtornos de atenção e hiperatividade

Você é meu filho pequeno e eu te libero.

Desde o seu início, as Constelações têm sido procuradas por pacientes ou familiares de portadores dos chamados transtornos ou déficits da atenção, acompanhados ou não de hiperatividade.

Eu tenho recebido muitas crianças e adultos com esses sintomas e percebo, assim como outros terapeutas consteladores, particularmente entre as crianças, um fenômeno interessante: são em geral amorosas e superatentas a algo grave que está acontecendo na família, sobretudo com os pais.

São crianças cujos pais, individualmente ou os dois ao mesmo tempo, estão acometidos de um episódio depressivo, pensamentos suicidas, dependência química ou outro transtorno psiquiátrico, muitas vezes não diagnosticado ou sem tratamento. Outras vezes vivem um conflito conjugal mobilizador de grandes sofrimentos no sistema familiar.

Essas crianças não se sentem livres para estarem atentas à escola ou a qualquer outra atividade da vida infantil. Percebem a situação de risco iminente e não podem descuidar. Assumem a tarefa de cuidar dos pais, ou dos avós, interceptando sinais do adoecimento psíquico do seu familiar querido, e estão dispostas a tudo para *salvá-lo*.

Certa vez, uma jovem mãe veio com seu filho de 7 anos, diagnosticado com transtorno de atenção e hiperatividade, com graves prejuízos no desempenho escolar e na vida relacional. O menino entrou na sala de atendimento sem esconder seu desgosto e sua intensa dispersão e inquietude.

Puxava a mãe pela saia, recusava-se a sentar, permanecia em pé e passou a correr pela sala, virando cadeiras e desconectando os fios do computador e do som.

A mãe não escondia os sinais de exaustão, e eu duvidei de que conseguiríamos seguir adiante naquele atendimento. Pensei em cancelar; em, quem sabe, transferi-lo para um atendimento individual com imagens; em trabalhar só com a mãe etc.

Entre uma respiração e outra, decidi começar a Constelação assim mesmo. Pedi que a mãe, que mal tivera condições de nos relatar o histórico familiar com seus fatos de impacto, colocasse um representante para o filho, um para seu sintoma – o quadro de desatenção e hiperatividade –, um para ela e outro para o pai da criança. Ele era o único filho do casal.

Assim que a mãe se levantou para colocar os representantes, o menino foi se acalmando, aproximou-se dela, olhou com certa perplexidade a cena que ia se configurando e sentou-se, enfim, na cadeira a ele reservada, entre nós duas.

Em silêncio, a representante da mãe demonstrou uma expressão de profunda tristeza e dirigiu o olhar para um ponto no chão. O pai, um pouco afastado, olhava para o filho e a esposa. O representante do filho, visivelmente inquieto e perturbado, queria mover-se em direção à mãe, enquanto o representante do sintoma foi para a frente dela e passou a rodopiar à sua volta, freneticamente.

Nada era capaz, no entanto, de mover a representante da mãe do seu movimento em direção ao chão.

O menino, ali do nosso lado, teve uma reação súbita, impressionante: encaixou-se no colo da mãe, face a face com ela, e segurou seu rosto, impedindo-a de seguir olhando para aquela cena aterrorizante.

Eu então me dirigi a ela e lhe disse que sua representante trazia uma informação de um quadro depressivo, buscando sua confirmação, um jeito de adentrarmos o tema tão grave, revelado explicitamente pela Constelação.

Mesmo com o rosto preso entre as mãos firmes do filho, ela disse que sim, e suas lágrimas molhavam também o filho ali grudado, em pânico.

Sim, a mãe estava tomada por um quadro depressivo, com ideias suicidas, e a atenção do filho era plena, voltada para impedi-la.

Como estar livre e atento à escola, às brincadeiras, aos amigos ou mesmo ao pai?

Agradeci aos representantes e pedi que se sentassem. Olhei para o menino e o acolhi com um sorriso e um gesto de compreensão; disse para ele que estava tudo bem agora e que ele escutasse o que a mãe precisava lhe dizer.

Ela lhe repetiu minhas palavras, afastando um pouco as mãos do filho do seu rosto:

– Meu querido filho, muito obrigada por você ter visto a minha tristeza, mas ela não tem nada a ver com você. Eu vou me cuidar, vou procurar ajuda, eu quero ficar na vida e quero ficar bem – e completou: –Você é meu filho pequeno e eu te libero.

Abraçou o filho, que permanecia em silêncio, envolvendo-o como a um bebê pequeno, e ele se permitiu, deixando-se ficar assim por longos minutos. Nós todos os envolvíamos com nosso amor e nossa atenção plena.

Estava terminada a Constelação. O que mais poderíamos fazer ou falar?

Cerca de trinta dias depois da Constelação, essa mãe me enviou uma mensagem. Agradecia, *do fundo do coração*, pois o filho estava bem melhor; os professores estavam impressionados com o efeito intenso e rápido do processo terapêutico, e ela, a mãe, estava também muito melhor. Disse que havia procurado um médico psiquiatra e uma psicóloga, pois *estava mesmo depressiva, com pensamentos suicidas.*

2.2. Transtorno do sono e ansiedade em uma menina de 6 anos

Mamãe, acorde. Você está bem?

Uma mãe trouxe a filha de 6 anos para um atendimento psicoterapêutico e, pelo sintoma, sugeri uma Constelação individual no consultório, com sua presença.

A menina acordava com frequência no meio da noite, ia até o quarto da mãe, a acordava e lhe perguntava:

– Mamãe, você está bem?

Na entrevista, a mãe não se recordava de nenhum fato na família que justificasse esse temor da menina. Perguntei então sobre os avós e bisavós, e a mãe relatou que sua sogra, uma avó muito próxima da neta, perdera a mãe quando era bebê, recém--nascida, mas ela não sabia as circunstâncias.

Pedi então que a menina colocasse as imagens, num kit de bonecos de figuras humanas que utilizamos, representando sua família: pai, mãe, seu irmão menor e também os avós. Ela os colocou e espontaneamente foi inserindo outros bonecos no campo.

Chamava a atenção na colocação da menina a sua representante, que olhava para a avó paterna, colocando-se a seu lado, um pouco atrás, próxima a outros bonecos que colocara por sua conta.

Solicitei à mãe que se informasse sobre as condições da morte da mãe de sua sogra e, após dar um telefonema, ela nos contou que essa senhora estava amamentando a filha, avó paterna da nossa cliente-menina, quando teve uma morte súbita. Não se sabe quanto tempo depois elas foram encontradas, a mãe morta e a criança agarrada a seu peito, ainda tentando mamar.

A menina escutava a história com serenidade, sob meu olhar e minha postura de acolhimento, no intuito de diminuir um pouco o possível impacto daquela revelação. Pedi que ela colocasse então uma representante para sua bisavó, e ela me respondeu com tranquilidade:

– Já coloquei, é esta aqui – justamente a boneca que ela havia colocado, desde o início, próxima à sua avó e a ela mesma.

Eu lhe disse:

—Veja, sua avó perdeu a mãe enquanto estava no seu colo, sendo amamentada, e provavelmente ela pensou que a mãe estivesse só dormindo. Essa é a história da sua avó, aconteceu há muitos anos, você não era nem nascida, mas você ama muito sua avó e carrega com ela essa informação. Mas veja, olhe aqui para a sua mãe, ela está muito bem, nada vai acontecer com ela e você pode dormir tranquila.

Ela me acompanhava atenta, sustentando o olhar e acenando positiva e discretamente com a cabeça, enquanto a mãe a envolvia em um abraço. Coloquei as figuras em ordem, retirando-a daquele lugar lá atrás, e ela respirou aliviada.

A mãe me relatou, alguns meses depois, que, de imediato, a menina chorou um pouco e não quis tocar no assunto durante todo o trajeto até a casa. Permaneceu silenciosa por alguns dias, mas foi diminuindo as caminhadas noturnas ao quarto da mãe, até que não mais acordou à noite.

A mãe passou a vigiar seu sono e foi percebendo que a filha, enfim, dormia profundamente, sem sobressaltos. Ela, a mãe, agradeceu muito, pois o desgaste das noites maldormidas era grande para ela também.

Mais de uma vez, percebemos a possibilidade de vínculos sistêmicos em casos de insônia do meio da noite, quando a pessoa dorme e acorda em determinado horário, com dificuldade em voltar a dormir.

A cada Constelação, vamos nos aperfeiçoando na arte de escutar, ouvir as outras canções, permitir que nosso corpo sensível seja tocado pelo fenômeno, que nosso olhar penetre além, que nosso ego dê passagem ao ser e que este se coloque a serviço de algo maior, mesmo que ainda não o compreendamos por completo.

Com o tempo vamos aprendendo a nos retirar. E nossa presença ganha em qualidade na ajuda genuína e necessária daquele instante único.

2.3. Autismo

Estou bem no meu silêncio.

Certa vez, um jovem casal procurou a Constelação para *lidar melhor* com o filho primogênito de 3 anos, diagnosticado com autismo. Eles tinham outro filho, de 1 ano, muito apegado ao irmão mais velho. A mãe contou que o pequeno estava sempre empenhado em se comunicar com o irmão e que este melhorou com o nascimento do menor.

Nas famílias de origem dos pais, fatos impactantes estavam relacionados a sintomas e doenças psiquiátricos, depressão e alcoolismo, principalmente. Pedi que a mãe escolhesse e colocasse representantes para todos do sistema atual, os pais e os dois filhos.

A Constelação confirmou o relato dos pais: o representante do filho mais velho permanecia paralisado, cabisbaixo e ensimesmado, enquanto o irmão pequeno buscava distraí-lo a todo custo. Os pais demonstravam paralisia por meio de seus representantes, com olhares de extrema preocupação com o filho autista e a sensação de impotência compartilhada por ambos.

Quem fazia todo o movimento, inclusive tentando tirar os pais da imobilidade, era o filho pequeno.

Após alguns instantes, diante da presença amorosa e firme do irmão menor, o representante da criança autista ergueu o olhar vagarosamente e viu a mãe. Esboçou um sorriso que nos prendeu a todos. Pediu que eu me aproximasse, pois queria revelar algo, mas não conseguia fazê-lo em voz alta, nem diretamente para eles, os pais e o irmão.

Quase sussurrando, disse-me:

– Meus pais não precisam se preocupar, que o amor deles chega até mim – e completou: – Está tudo bem comigo, estou bem no meu silêncio.

Os representantes dos pais então se movimentaram e envolveram amorosamente os dois filhos pequenos. Ao meu lado, o casal se abraçou e ambos choraram, emocionados.

Percebi que esse era todo o movimento daquela Constelação. Poderíamos ter nos aprofundado em busca dos emaranhamentos sistêmicos presentes na gênese daquele adoecimento psíquico, mas minha percepção era de que a profundidade daqueles gestos, o movimento liberado internamente no sistema em foco e a fala direta do coração daquela criança precisavam de tempo e espaço para toda a sua possível reverberação. Maiores movimentações poderiam perturbar, causar dissonâncias na canção real e verdadeira que ali se expressava.

Algum tempo depois, essa mãe foi ao meu consultório. Havia compreendido, com a fala do filho, que a preocupação excessiva o perturbava e que seu amor era percebido e sentido por ele. E que estava tudo bem.

Decidira reforçar o olho no olho com o filho, a presença plena a seu lado, o falar diretamente ao seu coração e – algo que a Constelação mais lhe ensinou – aceitar seu estado silencioso, esse destino misterioso que traria a todos da família ricas oportunidades de maior conexão com o essencial.

Também havia entendido a necessidade de olhar mais para o filho pequeno, agradecendo seu movimento em apoio ao irmão silencioso, mas cuidando para que não se sobrecarregasse.

Ela me disse também que estavam mais serenos, mais aliviados, e que foram tomados por um sentimento profundo de gratidão à vida tal como ela se apresentava.

2.4. Depressão e pensamento suicida em um menino de 11 anos

Eu olho por você, meu querido pai.

Um menino de 11 anos veio, acompanhado pelos pais, buscar ajuda para um episódio depressivo, com tristeza e isolamento crescentes, e pensamentos suicidas, que estavam deixando os pais em pânico, após várias consultas médicas e psicológicas sem grande impacto na evolução do quadro.

Ele era o mais velho de três irmãos, sem casos de aborto ou natimortos na família, com uma ligação forte com o pai, mas também com a mãe e os irmãos.

– Não há nada que justifique – diziam os pais, desolados.

Era uma família bem estruturada e amorosa. O menino, cabisbaixo quase sempre, também não sabia explicar o que estava acontecendo com ele.

Perguntei sobre o histórico familiar: as famílias de origem dos pais, avós e bisavós. O pai havia perdido o próprio pai quando ainda era criança em um acidente de carro. Eu perguntei então em qual idade, e ele respondeu, algo perplexo:

– Onze anos.

Pedi que o menino colocasse representantes para ele, seus pais, irmãos e avós. Aos primeiros movimentos dos representantes, a cena era clara ao revelar os vínculos invisíveis que uniam aquele doce e quieto menino a seu pai e seu drama, na sua mesma idade, diante do pai morto.

O representante do pai do menino olhava para seu pai caído no chão, queixando-se de uma *dor profunda*, e o menino tentava se colocar entre os dois, como se intencionasse proteger o pai:

– Eu olho por você, meu querido pai.

O representante do menino também expressou um grande medo de perder o próprio pai. Nosso menino cliente confirmou esse medo, e o pai o abraçou efusivamente, em meio a um pranto impensável.

As *palavras de solução* são as que trazem ordem e consciência ao que já está ocorrendo em um nível profundo.

Também nesse caso, a Constelação mostrou sua assertividade e imenso potencial terapêutico.

Algum tempo depois, essa família voltou ao consultório para relatar, com *imensa gratidão*, a evolução positiva do quadro clínico do pré-adolescente, vivendo agora uma *vida normal*. Relataram também que o pai estava entrando em um quadro depressivo e que, após a Constelação, procurou ajuda e estava em tratamento.

Um dos parâmetros que utilizamos para balizar o êxito das Constelações Familiares eram as falas e o retorno dos pacientes aos grupos de Constelação ou ao consultório, e os clientes que eles encaminham.

Sabemos das causas multifatoriais e da complexidade de muitas doenças, dos fatores de risco e de proteção, das tendências familiares, dos emaranhamentos sistêmicos e das origens traumáticas transgeracionais.

Esse método permite, muitas vezes, um diagnóstico precoce, permitindo intervenção e uma mudança positiva no curso de um adoecimento, sobretudo em crianças, adolescentes e jovens – momentos privilegiados dos primeiros sintomas de vários transtornos psiquiátricos.

2.5. Transtorno do humor e agressividade em um adolescente de 15 anos

Eu posso morrer ou matar, tanto faz.

Trazido pela mãe, preocupada com o comportamento agressivo do filho na escola, aquele adolescente alto, cabisbaixo, chamou minha atenção assim que adentraram o consultório. Ela se dizia confusa, pois em casa ele fora sempre uma criança calma, silenciosa, muito amorosa, sempre muito próxima a ela, mas ultimamente, da escola, ela recebia reclamações de seu comportamento agressivo. Ele estava então com 15 anos. Os pais em processo de separação e um irmão, mais velho, compunham aquele sistema familiar.

Quis conversar sozinha com ele, após ouvir e acolher a mãe. Esse contato com o adolescente, sem os pais, é importante. Sem o vínculo e a confiança, não conseguimos caminhar em nenhum processo terapêutico, principalmente com adolescentes. Perguntei o que estava acontecendo e ele me disse, olhando bem nos meus olhos:

– Eu posso morrer ou matar, tanto faz.

Depois seguiu traduzindo sua sentença enigmática, permanecendo na economia de palavras:

– Fico quieto no meu canto, invisível, se não mexerem comigo, normal; se me provocam, eu reajo e depois volto para o meu canto – e mais uma vez repetiu, sem que o tom ou o timbre de sua voz mudasse, sem que eu pudesse perceber qualquer emoção, sua síntese fatídica: – Eu posso morrer ou matar, tanto faz.

Ele era um rapaz alto e, aliado ao sobrepeso, impunha sua presença. Suas palavras ressoavam em minha alma e, por alguns segundos, mantive-me atenta, buscando compreendê-las e tentando harmonizá-las com o menino grande ali na minha frente.

Eu posso morrer. Por que esse garoto morreria, por quem, eu já me permitia indagar. Que emaranhamentos sistêmicos o prendiam a ponto de poder morrer assim tão fácil, inexorável e friamente? No lugar de quem ele morreria? Já estava no campo das Constelações, não tinha como não estar.

Eu posso matar. A quem ele estava vinculado? O que estaria honrando? Por qual razão um menino até então pacato, amoroso, apegado à mãe, estaria pronto para matar, e sem culpa?

Tanto faz. Estava ali uma tríade que de imediato chamou-me à reflexão e ao convite para um olhar mais aprofundado. *Morrer, matar* e *tanto faz*. O que estava acontecendo com ele?

Segui na sustentação do contato, aprofundei um pouco mais, busquei outros sintomas, mentais, físicos e gerais, que pudessem de início configurar um retrato homeopático por meio do qual pensei iniciar esse atendimento.

Mas já estava certa de que o método da Constelação traria muitos elementos e abriria portas na elucidação do caso e em seu enfrentamento. Chamei a mãe, e ambos concordaram com o processo. Faríamos uma Constelação Familiar e seguiríamos no tratamento homeopático e no acompanhamento psicoterapêutico. Ele não colocou nenhuma resistência, e alguns dias depois iniciamos o atendimento com Constelação, em grupo.

Vieram só os dois; o pai e o irmão não quiseram vir. Eu então lhe perguntei qual seria sua questão, e ele permaneceu calado por alguns instantes. Depois, pediu que a mãe nos dissesse. Eu insisti com ele, buscando sustentar o contato com o olhar, mantendo-me o mais presente possível a seu lado, perguntando qual seria um bom resultado daquela Constelação para ele. Então ele me disse que não se sentia bem na escola. Eu vibrei internamente; já era um sintoma. Senti como se aquele bloco de gelo começasse a mostrar rachaduras, fendas que permitissem o penetrar do trabalho terapêutico.

– Eu compreendo – disse-lhe e assenti com um discreto sorriso, tentando lhe demonstrar meu acolhimento ao seu bem-vindo *mal-estar*.

Depois, pedi que escolhesse alguém para representá-lo e outra pessoa para representar seu sintoma. Mais uma vez, celebramos a possibilidade de que a Constelação nos permite *desdobrar* o sujeito, identificando seus vários *eus*, percebendo os diálogos internos da psique, os aspectos doentios e os mais saudáveis do ser, as identificações patológicas, a repercussão de traumas vivenciados por ele próprio ou por outros do seu sistema familiar.

Ele escolheu dois homens e colocou seu *sintoma* atrás do seu representante, não tão perto. Seu representante olhava fixamente para o chão, e o sintoma seguia um movimento de afastamento para trás. Pedi que colocasse também representantes para os pais. Imediatamente, o representante do sintoma aproximou-se do pai e se colocou atrás dele, muito inquieto, manifestando intensa perturbação.

Perguntei-lhes então sobre fatos impactantes nas famílias de origem dos pais. A mãe do nosso jovem cliente contou-nos que eles, o casal, eram primos em primeiro grau e que o pai do marido, avô paterno do cliente e tio da mãe, fora um homem violento e homicida, um *psicopata*, conforme ela nomeou, responsável por várias mortes, tendo permanecido impune por toda a sua vida, por ser um *fazendeiro poderoso*.

Colocamos em seguida representantes para esse avô homicida e quatro pessoas deitadas no chão para as vítimas. O representante do sintoma se aproximou dessa cena, e o representante do cliente caminhou lentamente até o avô, ficando entre ele e as vítimas, olhando ora para um, ora para as outras. E, à minha pergunta sobre o que estava acontecendo, ele, o representante do cliente, disse-me com muita tranquilidade, deixando-me perplexa:

– Eu posso matar ou morrer, tanto faz.

Apenas eu e o cliente sabíamos dessa sentença e, quando eu me voltei para ele, percebi em seu rosto surpreso e no sorriso nervoso sua também perplexidade diante daquele retrato vivo e real de si próprio e seu drama.

Aquele neto de 15 anos trazia em seu comportamento a informação perturbadora do trauma sistêmico de sua família de origem: o avô homicida impune e suas vítimas esquecidas. Seu representante olhava de forma muito amorosa para o avô e as vítimas, aquela amorosidade real que a mãe sempre soube existir nele.

Coloquei-me ao lado das vítimas e perguntei o que acontecia. Todos eles viam o cliente com amorosidade e agradecimento. Afinal, estavam presentes e vivos por meio do olhar dele. O avô demorou-se um pouco, mas, depois, voltou-se para as vítimas e deitou-se no chão ao lado delas, em um gesto que exprimia seu lamento e sua responsabilização pelo que fizera.

– Eu não tinha consciência total do que fazia, sinto muitíssimo – disse mais: – Por favor, liberem meu neto.

O representante do sintoma disse ter perdido a força e quis sair de cena. O representante do cliente disse estar bem, em paz. O próprio cliente, ao ser colocado no campo, tinha no rosto a marca de uma mudança impressionante, um olhar mais sereno, centrado. Fez uma reverência ao pai, ao avô e às vítimas da família.

Esse jovem seguiu em processo psicoterapêutico comigo por mais dois anos, o que me deu a oportunidade de acompanhar de perto o impacto do trabalho dessa Constelação nele.

Ele terminou o Ensino Médio com boas notas, nunca mais teve conflitos na relação com os colegas, embora fosse sempre um pouco tímido. Perdeu peso com dieta e exercícios físicos de forma considerável, chegando ao seu peso ideal, e seguiu com a namorada que tinha desde os 14 anos. Nesse processo, os pais se separaram e ele trabalhou muito, nas sessões de psicoterapia, o relacionamento algo simbiótico com a mãe.

Continua, esporadicamente, a procurar o consultório para trabalhar questões específicas, tomadas de decisão, além de tratamento homeopático. Decidiu-se por não seguir no ramo das indústrias dos pais e hoje, aos 30 anos, depois de ter concluído um curso universitário na área da saúde, trabalha em sua área de formação. Casou-se e tem uma filha pequena.

Acompanhá-lo tem sido para mim motivo de alegria e afirmação da validade do método das Constelações. Estou certa de que esse jovem, hoje sereno e estável, pessoal e profissionalmente, elegante e gentil, esteve diante do desenvolvimento de um transtorno com graves consequências, justamente na adolescência, momento privilegiado para a eclosão de tantas doenças psiquiátricas.

Nessa e em outras ocasiões, tivemos a oportunidade de observar possíveis efeitos preventivos de grande impacto em Constelações Familiares. Focalizei Constelações em que a fala espontânea de um representante revelava situações de risco de suicídio que, ao serem pesquisadas, comprovaram-se verídicas.

Bert Hellinger afirmou em um de seus seminários no Brasil que tem observado nos pacientes com transtorno bipolar do humor uma dinâmica repetitiva: a identificação simultânea da pessoa com o perpetuador e a vítima do sistema familiar. Também relata, e eu percebo o mesmo, a incidência de situações de violência no sistema familiar, na geração de avós, bisavós e até anteriores, como possível gênese de doenças psiquiátricas, em particular as psicoses, nos netos de hoje.

Esses são temas a serem aprofundados nas pesquisas científicas que começam a surgir na Europa, nos Estados Unidos, no Brasil e em outros países. Trata-se de observações clínicas que vão ganhando importância à medida que se repetem e se fortalecem no seguimento dos casos.

2.6. Adolescente, filho adotivo, com transtorno do humor e ansiedade

Gostei muito deste teatro da verdade!

Trazido pela mãe adotiva e seu marido, aquele menino índio de 13 anos de idade haveria de impactar nossa coletânea de histórias clínicas em Constelações Familiares. Eu já os conhecia, pois ele fora meu paciente na homeopatia, um bebê em seus primeiros meses de vida, trazido ao consultório em razão de um choro contínuo, sem fim, ao anoitecer, que seguia às vezes até o raiar do dia.

Até os 13 anos foi uma longa história de cuidados especiais, médicos, psicólogos, professores de apoio, tratamentos espirituais, incluindo, aos 6 anos, o contato com a mãe biológica e alguns de seus sete meios-irmãos.

Essa mãe, índia da região da Amazônia, deu à luz várias crianças e, como não conseguia criar todas, entregou algumas para adoção. Dentre os diagnósticos psiquiátricos do menino, após a mãe consultar vários profissionais, havia um déficit de atenção, um possível transtorno bipolar do humor e um quadro de ansiedade importante. Mas o adolescente alto e altivo que adentrou a sala nos revelava também uma personalidade forte, genuína, com traços biológicos de seu povo indígena do norte do país.

Sentou-se com a mãe ao lado e o padrasto um tanto afastado. Ele havia sido adotado apenas pela mãe, sendo que há cerca de cinco anos ela tinha se casado com esse homem, que o adolescente chamava pelo nome.

As queixas da mãe adotiva, que motivaram o pedido da Constelação, referiam-se a seu comportamento rebelde, desobediente, confrontador; a sua não adequação a várias escolas por que já havia passado; além de medo e ansiedade, que lhe tiravam a autonomia, mantendo-o sempre muito dependente dela. Na ocasião, o casal entrara em crise, tendo como razão principal a divergência de como lidar com o menino.

Tive de usar muitas das minhas estratégias de *abordagem motivacional* para que ele estivesse atento e fosse o protagonista de nosso trabalho, ou, do contrário, sabia que seria tempo perdido. Eu o ajudei a amarrar os sapatos, contei histórias, interessei-me por seus interesses, aprendi algumas coisas sobre matas, fazendas e pescarias – tudo sob a atenção silenciosa de um grupo enorme de participantes.

Assim que obtive sua atenção, comecei o trabalho: pedi que ele escolhesse alguém que o representasse, uma pessoa para sua mãe adotiva e outra para a mãe biológica. Não poderíamos perder aquele instante de atenção, e eu não enxergava outra colocação além daquela. Era necessário esse confronto com a realidade, que não era segredo para ele, mas que, possivelmente, estava na gênese do seu mal-estar e de sua falta de adaptação.

Ele escolheu os três representantes e os dispôs da seguinte maneira: ele mais perto da mãe adotiva e a mãe índia, biológica, em frente dos dois. Colocou cada um em sua devida disposição e sentou-se de novo. A partir desse instante, esteve presente, completamente atento e interessado no que acontecia.

A mãe índia se afastou um pouco; demonstrava serenidade, certa altivez, sem ser agressiva; ao contrário, mostrava-se atenta e olhava com amorosidade para os dois. A mãe adotiva, por meio de sua representante, demonstrava ansiedade e preocupação com o filho, enquanto seu representante caminhava, um pouco a ermo, pela sala, afastando-se das duas e fixando o olhar em algum lugar além.

Perguntei o que estava acontecendo, e a representante da mãe biológica disse que estava bem, que era isso mesmo, que gostava da outra mulher e era agradecida pelo cuidado com o filho que ela não pôde criar.

Quanto ao menino, o representante não sabia explicar bem, mas comentou que *não se sentia parte daquele lugar*; que estava *meio perdido*.

Resolvi então colocar um grupo de representantes para sua família indígena biológica, muitos homens e mulheres, representando toda a aldeia de onde ele viera. E essas quinze ou mais pessoas, em silêncio, foram se colocando em um canto da sala, formando uma meia-lua, muito conectados e serenos, altivos e disponíveis. A mãe biológica se uniu ao grupo.

Naquele instante, o adolescente, ele mesmo, levantou-se da cadeira e aproximou-se de mim. Olhou para o grupo que representava sua tribo de origem e, visivelmente tocado, pediu permissão para ir até eles.

Eles abriram os braços, e o menino entregou-se e tornou-se um com eles. Um dos homens disse em voz alta:

– Você é um de nós.

Ele sabia, e todo o seu corpo confirmava essa verdade. Havia um movimento ritmado nesse abraço coletivo, quase uma dança, que durou alguns instantes. Todos nós, os outros, permanecíamos quietos, em silêncio, profundamente tocados.

Depois de alguns instantes, o abraço foi se desfazendo e dele surgiu um adolescente muito vivaz, alegre, um tanto apressado. Chegou até mim e olhou para sua mãe, sua mãe *verdadeira*, como ele disse, aquela que o criara desde o nascimento.

A mãe adotiva estava ela mesma no campo, assumindo seu lugar, enquanto eu dispensava a representante.

Ele olhou para ela e de seus olhos rolaram grossas lágrimas, que provocaram de imediato as nossas. Eu lhe perguntei, como se quisesse estender esse momento, sustentá-lo indefinidamente, eternizá-lo:

– O que acontece com você agora?

Ele me olhou e disse:

– Amor, eu amo minha mãe – e correu até ela.

Ela lhe cobriu de beijos e de juras de amor; o padrasto levantou-se também, e o menino quis ir até ele e lhe dizer que também o amava. Esse homem, que até pouco tempo antes mostrava-se incrédulo e quase desistente daquela família, entregou-se àquele abraço, e os três, juntos, permaneceram assim por longos minutos. O menino estava muito feliz e quis olhar mais uma vez para a família biológica. Alguns deles lhe repetiram:

– Você é um de nós, mas nós o abençoamos se você ficar com sua outra família.

Eu decidi então colocar representantes para a família atual, que eu sabia ser também muito numerosa, com vários primos, tios e duas irmãs mais velhas. Esse grupo também o acolheu, e ele não se continha de alegria. Uma das representantes chorava muito, e eu, brincando, perguntei-lhe quem seria essa que chora tanto, e o adolescente me disse:

– É minha irmã mais nova, ela é assim, muito chorona.

Algum tempo depois, nossa cliente, mãe adotiva do menino, me disse que ele estava um pouco mais calmo e que havia lhe dito ter gostado muito desse *teatro da verdade*, e que queria voltar outras vezes.

Como é uma família que acompanho, passados já três anos dessa Constelação, esse adolescente ainda requer cuidados médicos e psicológicos, mas está melhor, menos ansioso, mais adaptado à nova escola, mais integrado à família.

Apesar das várias abordagens terapêuticas às quais recorreram, a mãe considera a Constelação um marco no sistema familiar como um todo, uma percepção mais clara de todo o processo interno do filho adotado, informando-nos também que, após a Constelação, a relação entre eles, sobretudo entre o menino e o padrasto, melhorou consideravelmente.

São os desafios das adoções, sabemos, principalmente quando se trata de diferenças culturais tão grandes. Com as Constelações temos aprendido mais sobre essa temática da adoção, a importância do conhecimento da verdade, a reverência e o respeito à família biológica assim como a despedida dela, o sair do julgamento e a integração das feridas, a gratidão à vida que veio dos pais biológicos e que foi possível e sustentada pela família adotiva – honrar o passado, a história biológica, e sentir-se presente e agradecido no sistema atual.

Em outras Constelações de filhos adotivos percebemos que o simples fato de se colocar diante de sua história real, poder falar a respeito de sua dor, de suas dúvidas ou de seu desconforto é suficiente para mudar o padrão de abandono e vitimização. Muitas vezes, a representante de uma mãe biológica que teve de entregar o filho manifesta dor, arrependimento e preocupação ao saber do filho ou da filha.

Uma vez atendemos uma adolescente adotada com a história de ter uma irmã gêmea, porém elas foram entregues a famílias diferentes. A mãe adotiva queixava-se do comportamento opositor da filha e de suas histórias de fuga para se encontrar com a irmã gêmea, que morava em uma cidade vizinha e com quem mantinha contato. Dizia que quando as duas estavam juntas eram *terríveis, rebeldes, mas sempre muito unidas*.

Começamos a Constelação sem muitas informações sobre essa família biológica. Pedi à jovem que selecionasse representantes para seus pais biológicos, sua mãe adotiva, ela e a irmã. Não havia um pai adotivo. Assim que os representantes foram colocados, a representante da mãe biológica começou a gritar:

– Não as tirem de mim! – e agarrou as duas filhas. Elas caíram ao chão e a cena nos tomou a todos.

A representante da mãe biológica dizia ter sido o pai a tirar dela as filhas, contra sua vontade. A mãe adotiva confirmou o fato. Essa mãe biológica era uma jovem que pertencia a uma família de classe média e não podia criar as filhas, de um relacionamento com o namorado, por imposição do pai.

A mãe adotiva de nossa cliente, ali presente, fez questão de se informar sobre a família que adotara a outra irmã, ciente da importância do contato entre as duas.

As Constelações com relação às adoções vêm nos ensinando algumas ordens e desordens a serem observadas. Separar os filhos, em particular irmãos gêmeos, adotar uma criança para suprir um vazio no lar, para ter quem cuide dos pais na velhice ou para aliviar a crise de um casamento sem filhos, não priorizar a adoção por um familiar próximo, guardar segredo sobre a verdadeira história da criança, afastá-la de seu país, de seu povo, de sua cultura, são condições que geram maiores traumas e emaranhamentos aos sistemas e pessoas envolvidas, em especial ao filho adotado.

Também com as Constelações Familiares aprendemos que, por um lado, é importante que o indivíduo adotado esteja em paz com sua história de origem, honrando e respeitando os pais biológicos, saindo do julgamento, mesmo que não saiba nada sobre eles. Por outro lado, é essencial que se despeça dessa família de origem; que se libere com amor, aceitando internamente que essa é sua história mas que agora ele pertence a um outro sistema, a uma outra família, e que possa estar em paz também com ela.

O que acontece com muita frequência é o indivíduo não se sentir parte de nenhum dos dois sistemas, nem do biológico nem do adotivo. Aos pais adotivos, temos orientado incluir os pais biológicos de seu filho em suas orações, acolhendo e respeitando neles os vínculos de origem.

Solicitei sua permissão e nosso adolescente do início do capítulo, hoje com quase 17 anos, me autorizou a usar a expressão *teatro da verdade* – um belo e espontâneo *insight* para explicar uma Constelação Familiar.

2.7. Insônia grave em uma jovem de 21 anos

Tem uma criança morta logo ali, é um menino.

Em junho de 2005, fui procurada por uma mãe que ouvira falar das Constelações de Sintomas e Doenças. Ela queria atendimento para sua filha de 21 anos, com um quadro de insônia grave. As duas vieram para o atendimento em grupo e desde o início pudemos observar a expressão sofrida da jovem, os olhos fundos, o contato um tanto empobrecido de quem estava ali a contragosto, sem nenhuma expectativa de solução para seu problema. Era uma bela jovem, no entanto, com traços de sua origem árabe, estudante universitária que referia esse estado crônico de insônia desde a primeira infância e, segundo a mãe, com uma característica peculiar: ela dormia bem mas acordava por volta das 3 ou 4 horas da madrugada, independentemente da hora em que fosse dormir. Quando criança, acordava sempre assustada, nesse exato horário, chamava pela mãe e dizia estar com medo. Nunca aceitou a presença do pai nesses momentos.

A insônia vinha se agravando nos últimos anos, resistente a toda a terapêutica prescrita por vários médicos neurologistas e psiquiatras.

Os pais estavam separados há alguns anos, ela tinha um irmão mais velho, com um quadro de ansiedade importante na época, e os interesses da jovem sempre foram pela temática de combates, guerras e investigação policial. O avô materno falecera cedo com tuberculose. Quanto à família do pai, procedentes de região rural, poucas eram as informações.

Pedi então que ela escolhesse e colocasse representantes para ela, seu sintoma, a insônia, os pais e o irmão.

A mãe foi colocada na frente e de costas para todos; a filha-cliente logo atrás, voltada para a mãe, podendo ver, à direita, o pai, afastado e com o olhar voltado para o chão. O irmão ficou atrás, à esquerda da cliente, podendo ver também o pai. A representante da *insônia* foi colocada logo atrás da cliente e, desde o início, olhava fixamente para o *pai* e o *vazio atrás dele*.

Interessante nesse caso é que a mulher que foi escolhida para representar o sintoma havia chegado atrasada ao grupo. Era sua primeira experiência com as Constelações, e ela não escutara nada da história. Antes mesmo que se sentasse, a cliente a apontou para ser representante. O clima era de tensão. Essa pessoa no *papel* do sintoma manifestava inquietude e medo, estando sempre vinculada à representante da cliente, como se quisesse impedir que ela olhasse para toda a cena. Esta, por sua vez, queria estar próxima e *ser protegida* pela mãe, que terminou por se voltar para olhar os demais. Olhar para o pai piorava o quadro de inquietude e medo, tanto na *cliente* quanto no *sintoma*. O *pai* estava mal e dizia sentir um peso nas costas.

A *insônia* referia também um *mal-estar* e dizia ver *cenas de sangue*. O *irmão* se movimentou e sentou-se no chão, relatando agonia e desejo de ir embora, mas estava *preso por algo não resolvido naquela família*. Manifestava raiva ao olhar para o pai e, depois de alguns minutos, disse ver *um massacre, e as vítimas estão aqui*. Apontou para o chão.

– Não é o meu pai, mas o pai dele, meu avô; ele é o culpado – e continuou: – Tem uma criança morta logo ali, é um menino.

A atenção às movimentações e falas dos representantes, como nesse caso, muitas vezes nos afasta dos clientes reais, o que deve ser evitado. Assim que respirei um pouco, dirigi-me às duas, completamente perplexas e tomadas por aquela cena.

A mãe dizia desconhecer totalmente os fatos revelados pelos representantes sobre a família do ex-marido, mas que havia, sim, um *segredo* com relação à vinda deles de Minas Gerais para Goiás, e que ela não conhecera o ex-sogro e não se falava sobre ele na família.

Eu mesma coloquei então um representante do sexo masculino para essa *vítima-criança* e outro para o *avô*. Todos se viraram para o *avô* e a *vítima*.

Após alguns minutos, o representante da vítima, deitado no chão, para nosso espanto, disse:

– Sou um menino de 10 anos; são 3 ou 4 horas da manhã e eu acordo assustado em uma casa de fazenda. Ouço passos no assoalho de madeira e percebo tratar-se de uma emboscada. Pulo a janela e corro em direção ao mato – fez então um gesto de dor, colocou as mãos nas costas e continuou: – Sou atingido por um tiro bem no meio das costas; posso perceber o calor da bala no meu corpo. Estou caído no chão úmido do mato, sozinho; sinto dor e muito, muito frio.

O *irmão* ajoelhou-se próximo à vítima, muito emocionado, e falou:

– Foi o meu avô, mas ele não sabia que era uma criança.

Confesso que me vi paralisada e tomada por aquele fenômeno. Em um ato quase automático, proveniente talvez lá da minha prática médica e espiritualista incorporada ao meu ser, pedi que uma mulher do grupo assistente sentasse no chão e acolhesse aquele *menino ferido, moribundo*.

Ela colocou a cabeça dele no colo, acariciou seus cabelos e, com delicadeza e de forma espontânea, disse-lhe que estava tudo bem, que ela estava ali para acolhê-lo. E ele se entregou a esse colo e fechou os olhos, calmamente, sem a expressão anterior de dor, frio e sofrimento.

Após um período de certa indiferença, o *avô* voltou o olhar para sua suposta vítima, reconheceu sua responsabilidade, disse que era um acerto de contas, um conflito de terras, que não tinha a intenção de ferir ninguém ao atirar, muito menos uma criança, e se dirigiu ao menino:

– Sinto muito – fez uma reverência, olhou também para o filho e os netos. – Sinto muito, fico com a responsabilidade e os libero – e deitou-se ao lado de sua vítima.

A representante da insônia sentiu-se *fora daquele sistema* e manifestou o desejo de ir embora. Todos fizeram uma profunda reverência à vítima e ao avô, deitados lado a lado. Todos representados na Constelação sentiam-se bem, em paz. A cliente e sua mãe foram colocadas no lugar de suas representantes nessa reverência final.

Essa foi uma das primeiras Constelações focalizadas por mim; sua força e riqueza de detalhes me tocaram profundamente. As falas do representante da *vítima*, e o uso dos verbos no tempo presente fizeram daquele campo terapêutico um filme em que assistíamos todos tomados por emoção e perplexidade.

Após quinze dias, a mãe me procurou no consultório, muito agradecida e impressionada: a filha, logo após a Constelação, dormiu doze horas seguidas e, desde então, não teve mais nenhuma noite de insônia. Está mais próxima do pai e, pela primeira vez, dormiu na casa dele, sem medo. O pai, *literalmente estupefato*, revelou à ex-mulher mais detalhes daquele que era um grande segredo de família: a história de seu pai, que, há mais de cinquenta anos, envolvera-se em um conflito de terras, tendo chefiado um ataque a uma família de posseiros, com uma vítima fatal, um menino de aproximadamente 15 anos de idade. Vieram então para Goiás, sendo que esse avô teve de deixar a família e refugiar-se em outros estados, não tendo mais voltado para casa.

Tive ainda um contato com essa mãe em 30 de setembro de 2015:

– Minha filha obteve a cura, nunca mais teve uma única noite de insônia, e meu filho está bem melhor, menos ansioso e tendo se acertado, enfim, no trabalho.

Hoje sabemos, após muitas Constelações realizadas em todo o mundo, que várias doenças e sintomas apresentam vínculos com situações traumáticas vivenciadas no sistema familiar, como se pedissem por uma reparação, às vezes um simples reconhecimento.

Aqui podemos dizer que ambas as exclusões estavam impactando o sistema familiar, a do avô pelo ato homicida e suas circunstâncias, e a da vítima ignorada, negada, que passou a pertencer ao sistema do algoz. Tanto a insônia da jovem quanto a ansiedade do irmão, possivelmente, estavam relacionadas com esse episódio traumático do passado.

Trazê-lo à luz da consciência, tirá-lo da sombra do esquecimento, reverenciar as vítimas e incluir os algozes, respeitando seu direito de pertencimento – é assim que podemos integrar episódios traumáticos do passado familiar e transformá-los em âncoras de responsabilização e mudança de atitude; em ampliação da consciência de todos das gerações atuais e futuras.

Sintomas e doenças surgem muitas vezes como pulsões presentes no sistema familiar em sintonia com traumas do passado, a pedir integração, reconhecimento, ordem e paz.

Aqui fomos testemunhas da veracidade desse fenômeno, desse *campo de informação*, também chamado *campo de presença*; do potencial intuitivo e da sensibilidade do ser humano ao percebê-lo; do poder e grande potencial terapêutico das Constelações ao revelar profundos emaranhamentos e vinculações nos sistemas, a originar sintomas e doenças na busca por recompensa, ordem e paz.

E, nesse contexto, nossa responsabilidade em sermos facilitadores dessa abordagem é grande e desafiadora.

Essa Constelação chamou a atenção de mestres europeus e deu origem a um artigo que foi publicado em uma revista científica alemã especializada em Constelações Sistêmicas.*

---

* RAMOS, Dagmar. *Praxis der Systemaufstellung* (Revista "Práxis das Constelações Sistêmicas"). Wiesloch, janeiro de 2006.

2.8. Mãe e seus dois filhos com transtornos mentais
Eu só os vejo até os joelhos!

Nestes quinze anos de Constelações Familiares, inúmeras vezes me deparei com movimentos em direção à morte e, aos poucos, fui compreendendo esse fenômeno como metáforas do estar na vida, do envolver-se com o outro, seguindo-o e honrando-o com declarações de amor em uma trama pouco consciente, mas poderosa, de vinculações sistêmicas.

É como um pulsar de vida em busca de sentido ou um encontrar na morte o elo perdido. Esses movimentos nas Constelações se apresentam claros, inequívocos, sublimes, inexoráveis, muitas vezes desafiadores para nós, os terapeutas, que fazemos do viver nosso mister.

Eu me lembro da representante da minha mãe na Constelação citada na Introdução deste livro, seu olhar e seus passos seguros em direção ao pai, morto quando ela era uma adolescente.

Em outra Constelação, o representante de um homem, acometido por um câncer de intestino, caminhava em direção aos dois filhos mortos, ainda crianças, com serena determinação. Somente após colocarmos representantes para a atual esposa e a filha pequena é que o representante do cliente se voltou para a vida e se despediu dos filhos mortos.

Eu me recordo de várias outras Constelações em que a dinâmica em direção ao morrer se apresentou como movimentos reais e impactantes – muitas vezes, como uma estratégia, como uma tentativa de segurar o outro na vida, como foi, possivelmente, o caso do meu irmão mais velho, como descrito na Introdução deste livro. E de um outro menino, de 7 anos, em tratamento por depressão e pensamentos suicidas, que se sentiu livre e aliviado ao enxergar, na Constelação, o próprio movimento entre o pai, o avô e a morte.

Um atendimento que seria para um filho mais velho, dependente químico de cocaína, revelou o risco de suicídio do mais novo, filho admirado e tido como saudável, praticante de esportes radicais, porém com várias situações de quase morte.

Em outra ocasião, uma senhora interrompeu sua Constelação quando o representante do seu irmão mais novo revelou intenção suicida. Ela viajou imediatamente até a casa desse irmão, uma fazenda a 100 quilômetros de distância. Ele não atendia ao telefone e, ao chegar na casa, a irmã conseguiu evitar seu suicídio, todo planejado para ser executado naquela noite, conforme a Constelação revelara.

Em nossa experiência com as Constelações, observamos que muitos dos casos atendidos com diagnóstico de transtornos da atenção ou do humor revelam dinâmicas de emaranhamentos sistêmicos. A criança desatenta na escola ou na vida relacional pode estar sobrecarregada e superatenta ao adoecimento psíquico de um dos pais, como já apresentado neste livro, ou a outro trauma no sistema familiar.

Certa vez fui representante em uma Constelação de uma mãe, conduzida pelo psicólogo e constelador Reginaldo Coelho, que buscava ajuda com relação aos dois filhos jovens, um deles em tratamento por transtorno bipolar do humor e, o outro, dependente químico de múltiplas substâncias com tentativas de suicídio.

Na sua história, havia a condição impactante de ter perdido a única filha mulher, a caçula, por câncer, aos 7 anos de idade.

– Minha princesa – ela repetia, há cerca de dez anos. Essa mãe se dizia *perdida*; estava em tratamento médico por depressão e temia pelos dois filhos homens.

Como sua representante, pude experimentar a dor enlouquecedora de uma mãe diante da filha morta.

– Uma linda criança que, num descuido de Deus, a vida me tirou.

Meu sentimento, ali no papel dessa mãe, era realmente insuportável, tanto que me debrucei sobre a representante da criança morta no chão e fui tomada por uma profunda revolta e paralisia; nada mais tinha sentido.

O terapeuta perguntou se eu via os outros dois filhos – *não*; eu, no máximo, com muito esforço, podia enxergá-los até os joelhos, mais nada. Também não existia o marido, ninguém mais. Uma significativa parte do meu ser estava determinada a ficar na morte, *abraçada à filha amada, minha princesa*.

A representante da filha morta passou a sentir-se incomodada e sufocada com aquele abraço. O terapeuta, com gentileza, pediu que a mãe se levantasse e também a filha. Que as duas se olhassem. Eu tive a sensação de um choque, como se saísse de um congelamento, de uma simbiose vital; experimentei então outros sentimentos que até então não percebia: raiva, espanto e também surpresa.

Meu Deus, aqueles dois jovens eram também meus filhos. Eu os via agora, como se pela primeira vez. E aquele homem, meu marido, onde ele estava que eu não o percebia? Ainda permanecia vinculada à filha, segurando-a com firmeza em meus braços, mas em pé já conseguia enxergar um pouco mais ao redor.

Esse é um comando que, como terapeutas focalizadores de Constelação, podemos ditar em uma situação dessas: pedir que os representantes se levantem, que se olhem nos olhos ou que sigam o movimento interno, se houver, mas sem perder de vista o cliente real ali presente, ajudando-o a tomar consciência da sua realidade interna revelada pelos representantes e pela trama da Constelação.

Ainda no papel, à medida que eu percebia as outras pessoas do meu sistema, principalmente os outros filhos, algo acontecia em relação à filha e sua morte. Era como se eu despertasse de um sonho, um pesadelo, e acordasse em um sobressalto. Abracei de novo minha filha, sabendo que, agora, precisava me despedir dela. Abracei-a e me permiti ser abraçada por ela. Sem a intervenção do terapeuta, a representante da filha morta olhou para a mãe:

– Não foi sua culpa, este foi o meu destino e eu estou bem – e continuou: – Por favor, me libere.

Aquelas foram palavras mágicas que provocaram um tremor no meu corpo, como se eu me reconhecesse em outro lugar, em outro corpo, em outra dimensão. Afastar-me da filha e deixá-la seguir eram movimentos em profunda ressonância agora com minha alma, possíveis, necessários e aceitos.

Lentamente, ela se virou, olhou para os irmãos e o pai e foi até eles, abraçando-os e permitindo que também eles pudessem sentir sua presença, sua morte e sua partida.

Os representantes dos filhos expressaram ambiguidade de sentimentos, compreensíveis, afinal, desde sua morte, talvez até antes, com seu nascimento, a filha mulher tão desejada havia sequestrado toda a atenção da mãe, deixando-os órfãos.

Mas, durante o longo abraço, esses *filhos* puderam também se entregar ao amor fraternal que os unia:

– Que pena, você nos fez muita falta.

– Vivam a vida também por mim – ela disse e se foi.

Diante dos *meus filhos*, vivos e em risco de morte, pude perceber, no papel daquela mulher, as consequências do luto prolongado, da inconformidade e da revolta por um destino que *recusava a curvar-se a mim, um Deus distante e displicente que eu não reconhecia como legítimo.*

O terapeuta então colocou a cliente no campo, assumindo ela mesma seu papel. Com muita dificuldade, ela olhou e abraçou a todos. Estava visivelmente impactada e, ao final, sua única preocupação e suas demandas ao terapeuta eram com relação aos filhos *vivos*. O que fazer agora? Não será tarde demais? Talvez, mas agora ela tinha consciência de questões importantes que possivelmente estavam perturbando os filhos, corroborando na gênese de seus transtornos psiquiátricos. Cabia a ela sustentar esse novo modo de presença na vida e, quem sabe, amenizar a reverberação de seu estado anterior de morte, abandono e inconformidade nos filhos.

Quando o morrer surge como dinâmica inexorável em uma Constelação, minha experiência aponta para a ineficácia de palavras de julgamento ou de cunho religioso culposo, posturas salvacionistas, mesmo que bem-intencionadas, clichês ou aconselhamentos baseados no certo e no errado. Cabe-nos, nessas situações, sustentar um campo de presença junto ao cliente, intensificando sua percepção dos fatos, das dinâmicas, ajudando-o a ter consciência dos movimentos que o conduziam até aquele instante a um nível subconsciente ou inconsciente.

Mostra-se eficaz também trazer outros representantes, os outros filhos, netos, a esposa, o esposo, em uma tentativa de ampliar sua visão e sua consciência, e de oferecer um campo de visão ampliado de todo o sistema, pois, muitas vezes, o indivíduo preso a uma dinâmica específica, a um vínculo privilegiado, não raro simbiótico, não enxerga nada ao redor. A imagem revelada pela Constelação, a presença dos representantes, suas falas e seus movimentos são mais importantes que a eventual interpretação do terapeuta.

Estamos todos diante de um fenômeno, e sua compreensão acontece em um nível também fenomenológico do nosso ser, intuitivo, por meio de uma percepção flutuante, precisa e difusa ao mesmo tempo.

Muitas vezes podemos visualizar na expressão corporal do cliente o grau de impacto da Constelação sobre ele, de imediato. Outras vezes nos surpreendemos com trabalhos que não contaram com um grande envolvimento do cliente, mas que mobilizaram seu campo sistêmico de maneira impressionante.

Não sabemos exatamente o que acontece. Rendemo-nos a uma realidade que ainda está distante de nossa capacidade de compreensão, mas temos já pistas seguras de por onde caminhar e procedimentos a serem evitados na condução de uma Constelação.

2.9. Depressão em uma mulher de 63 anos

Quero me separar, mas não sei por quê.

Uma mulher me procurou dizendo estar decidida a se separar do marido.

– É uma boa pessoa, que eu amo e que é meu companheiro há quarenta anos. Temos três filhos e netos, um casamento feliz, mas... quero ficar só agora, ter meu canto, viver sozinha daqui para a frente – ela dizia. – Nossos filhos já estão adultos e não precisam mais de nós – complementava.

Percebi um olhar cabisbaixo, e esse *querer ficar só* trouxe-me um questionamento sobre um possível sintoma depressivo.

Como o marido estava inconformado, os dois decidiram fazer uma Constelação Familiar. Ela viera sozinha ao consultório e, nessas situações, eu sempre abro um lugar no meu coração para o outro – nesse caso, o marido, e digo isso ao cliente.

Quando a interroguei mais sobre a questão, pude perceber certa tristeza em seu olhar, e algo me dizia, naquele momento, que ela não estava muito segura de sua *decisão*.

Morar sozinha, querer ficar só depois de quarenta anos de um *casamento feliz*? Eu tentava escutar além de suas palavras e, nesses casos, respiro profunda e silenciosamente, em uma postura de *centramento* e *atenção plena*, em busca de uma *percepção flutuante*, atitudes que aprendi sobretudo com as mestras da Escola da Dinâmica Energética do Psiquismo (DEP), Theda Basso e Aidda Pustilnik, e que procuro ensinar aos meus alunos nos cursos de Constelação.

Além de seu companheiro de vida, aquele homem era também um terapeuta, e os dois trabalhavam juntos em uma abordagem de autoconhecimento e crescimento espiritual.

– Não há motivo, doutora, mas eu quero me separar – algo me chamava a atenção nessa sentença.

Agendamos a Constelação para uma semana após essa primeira entrevista, e todos percebemos a tristeza do homem, que adentrou a sala cabisbaixo, um pouco constrangido, ao lado da mulher *decidida* a se separar dele. Tentei acolher os dois e o casal – gosto da definição de que o casal seria uma entidade própria, e não apenas *um mais um* –, em uma introdução em que sempre resgato o poder das Constelações de revelar emaranhamentos sistêmicos.

Considero que um preâmbulo de esperança e a abertura a uma postura de não julgamento funcionem como uma etapa de acolhimento e preparação do campo para o trabalho da Constelação. Também queria enviar àquele homem a mensagem de que, apesar de a esposa ter tido um primeiro contato comigo, em separado, eu não estava *aliada* a ela nem a nenhuma postura preconcebida.

Resolvi começar imediatamente após a apresentação da questão, por ela. Pedi que escolhesse um representante para cada um dos dois. Ela colocou os dois e ele concordou com a colocação feita. A mulher, um pouco à frente, com o olhar fixo em um ponto no chão; o marido foi colocado um pouco atrás e ao lado. A representante dela dizia que não via nada nem ninguém, não percebia sequer a presença do *outro*. O marido, por meio de seu representante, manifestava uma inquietude ansiosa; queria chamar a atenção da mulher a todo custo. Ele então disse:

– Não me importo se ela me vê ou não, mas preciso tirá-la desse lugar.

Aquela primeira imagem, como quase sempre acontece nas Constelações quando conduzidas em um campo bem preparado, com os clientes *centrados*, já continha todas as informações de que necessitávamos.

Aquela mulher estava profundamente enredada a um destino, tomada por um movimento em direção à morte, ao morrer. E o marido, com essa percepção em algum nível, tentava em desespero tirá-la daquele lugar. A fala do representante pôde transmitir essa mensagem de amor à esposa: *não me importo se ela me vê ou não, quero tirá-la desse lugar.*

A pergunta seguinte é fácil de ser percebida: quem ela estava seguindo no movimento em direção ao morrer?

– Meu pai morreu quando eu tinha 16 anos e eu era muito ligada a ele – ela respondeu.

Colocamos então um representante para o pai. De imediato, os dois se aproximaram, os braços abertos do pai sempre estiveram ali. E foi um abraço longo e doloroso. Todos se emocionaram, e tive certa dificuldade em entender o momento certo de intervir novamente.

Até que o representante do pai, em uma respiração profunda, afastou-se com delicadeza e olhou nos olhos da filha. Era o momento, e eu intervim:

– O que acontece com você agora? – perguntei, dirigindo-me ao representante do pai.

– No começo queria que ela ficasse aqui e viesse comigo, somos muito ligados. Depois, me veio um movimento de me afastar e olhar para ela.

Perguntei-lhe então o que ele diria à filha, mas ele não sabia o que dizer, era como se estivesse em dúvida. Disse-lhe que tentasse falar as palavras que eu iria lhe ditar, se fizessem sentido para ele: *Minha querida filha, foi muito difícil para mim também, mas este foi o meu destino... Fique na vida, fique na vida também por mim, e cuide de meus netos e bisnetos.* É claro que essas palavras representavam um desejo meu de um final feliz para aquele casal, mas eu também estava aberta caso não fossem as palavras certas ou de fato verdadeiras para ele. Ele repetiu as frases e me disse que elas lhe traziam um grande alívio.

Olhou mais uma vez para a filha e, desta vez, de modo espontâneo, disse-lhe:

– Eu vou, mas você fica.

De novo aquelas palavras que eu escutara, perplexa, há tantos anos, no contexto real da vida, não na representação, também real, da Constelação.

Ele, o representante do pai falecido da cliente, virou-se e se afastou da cena. A representante dela voltou-se para o representante do marido e lhe disse com um sorriso:

– Agora eu vejo você, muito obrigada. Você me segurou na vida, por muito tempo. Agora eu compreendo; muito obrigada.

Com as Constelações, venho aprendendo mais sobre o amor e o relacionamento de um casal. Casos como esse, em que um cônjuge demonstra um amor incondicional e está disposto a intervir para liberar o outro da dor, do destino e da morte, se repetem.

Muitas vezes o outro não está em condições de perceber, tomado pelos *vínculos invisíveis* e enredamentos no sistema de origem. Situações em que um cônjuge toma para si o destino do outro também acontecem, como veremos em outros casos.

Tomada pelas vivências no campo, havia me esquecido, por alguns instantes, dos clientes reais, ali sentados. Mas, quando me virei para eles, não precisavam de mais nada: os dois estavam abraçados, em lágrimas, como o casal muito harmônico e amoroso que sempre foram, até que ela, *do nada*, resolvera que queria a separação.

Foram pouco mais de 30 minutos entre a entrevista inicial com o casal e o final da Constelação.

Poderia ter concluído tudo ali, me despedido dos dois, desejando-lhes boa sorte, um procedimento bom para essas ocasiões, assim eu também, como terapeuta, e o grupo, como um todo, nos liberaríamos do processo e nos afastaríamos. Afinal, os próximos passos pertenciam a eles, ao campo sistêmico deles, e voltaríamos ao nosso lugar, com amor, humildade e *sem intenção*, como nos ensina Bert Hellinger.

Mas aquela frase me veio sem que eu pudesse evitar. Antes que os dois deixassem a sala, eu disse a ela:

– O risco de uma situação dessas, um movimento da mãe inconsciente em direção ao morrer, é que um filho, em geral o mais velho, queira ir no seu lugar.

Talvez eu estivesse ainda impactada pelas palavras do representante do pai e a lembrança imediata da minha própria história. Talvez não. O fato é que ela me ouviu com atenção e me agradeceu.

O casal permaneceu junto; a hipótese de separação fora sepultada com aquela Constelação. Porém, pouco mais de trinta dias após esse atendimento, o filho mais velho do casal foi acometido de uma doença viral aguda, com repercussões neurológicas, sendo internado em estado grave.

Seriam reverberações de um mesmo emaranhamento? Estaria esse filho se antecipando para *salvar* a mãe? Estaria identificado com a morte prematura do avô materno? A Constelação tem poder para evitar esses destinos?

Felizmente, ele veio a se recuperar plenamente algum tempo depois, após passar por uma experiência de *quase morte*, como teria relatado.

A Constelação agiu nessa sua sobrevivência? Não sabemos. Isso tudo faz parte do *iceberg*, e é só o que podemos ver no momento: uma ponta.

Inúmeros são os aprendizados sobre os transtornos do humor, de forma especial os episódios depressivos, com as Constelações – quadros muitas vezes não evidentes, iniciais, camuflados, ou outras vezes com forte componente suicida não manifesto em nível consciente pelo paciente.

São verdadeiros movimentos em direção ao morrer, geralmente seguindo um *script* oculto, mas vigoroso, em um processo de vínculo e tentativa de compensação por algo traumático do histórico familiar. Em outros capítulos deste livro, relatei exemplos desse comportamento e os resultados surpreendentes obtidos com as Constelações.

2.10. Transtorno obsessivo-compulsivo

É uma batalha, são muitos mortos!

O amor que adoece e o amor que cura. Esse foi o título de um seminário internacional que aconteceu em Goiânia, em 2006, com Bert Hellinger, o criador das Constelações Familiares, com foco em doenças e sintomas. Nessa ocasião, pude estar a seu lado, em uma supervisão ao atendimento de um paciente portador do transtorno obsessivo-compulsivo (TOC).

Com pouco menos de 40 anos, esse homem era um dos irmãos de uma cliente que fazia acompanhamento psicoterapêutico comigo e, assim que iniciamos com o trabalho das Constelações, ela quis trazer toda a família, com vários casos de transtornos psiquiátricos. A avó paterna havia sido diagnosticada com um quadro psicótico; fora internada em um manicômio, onde viera a falecer, deixando inúmeros filhos pequenos, sendo que o pai dessa cliente, o quinto de um total de sete filhos, na época estava com 16 anos de idade.

Além desse paciente, outros irmãos apresentavam diferentes transtornos psiquiátricos, um deles com hipótese diagnóstica de esquizofrenia. Na época em que iniciei o atendimento dele, em 2005, esse paciente mal conseguia se comunicar, tantos eram os rituais e gestos repetitivos, os medos e as obsessões. Durante certo período, eu o acompanhei em regime de hospital-dia, no Hospital Espírita Eurípedes Barsanulfo, na cidade de Goiânia, onde seu caso pôde ser discutido por toda a equipe técnica da instituição psiquiátrica.

Tratava-se realmente de um transtorno obsessivo-compulsivo clássico e grave, com todo o seu complexo clínico de sintomas, compulsões, rituais, impulsos, imagens recorrentes e outros. Impossibilitado de levar a vida em família ou na comunidade, o paciente tinha uma companheira e um filho pequeno que preferia manter distantes, *para protegê-los*. Introduzimos o tratamento médico e medicamentoso indicado, a psicoterapia cognitivo-comportamental, e sugeri uma Constelação Familiar. Sua irmã o acompanhou e iniciamos a Constelação com uma pequena entrevista prévia. Eu já tinha várias informações e quis poupá-lo diante do grupo.

De impacto, tínhamos a morte precoce da avó paterna após internação psiquiátrica, no interior de Minas Gerais, após um surto psicótico, deixando os filhos pequenos e o marido.

Apesar de seu estado precário e das várias interrupções devido aos rituais obsessivos, o paciente estava muito presente e aberto ao trabalho, esperançoso de que pudesse obter uma melhora. Pedi que ele colocasse um representante para ele e outro para o TOC, sua doença. Apenas esses dois representantes para começar.

Ambos os representantes manifestavam ansiedade e medo, andavam em círculo e apontavam para uma *cena com muitos mortos* no chão. O representante da doença identificava-se mais com um algoz e repetia palavras que incitavam à violência, enquanto o representante do paciente adotava uma postura mais de vítima, com expressões de pavor.

Colocamos então representantes para esses *mortos*, e as falas eram de dor e sofrimento. Nosso paciente acompanhava atento toda a cena, e eu tentava poupá-lo, sem muito êxito.

O representante do paciente manifestava profunda conexão com aqueles mortos e revelava um sentimento de culpa, vindo sentir alívio apenas quando ele se deitou ao lado dos demais. As falas dos representantes apontavam para uma *batalha acontecida muito tempo atrás*.

Após essa Constelação, nosso paciente seguiu em acompanhamento no consultório, quando manifestava discreta melhora dos sintomas obsessivos, um *certo bem-estar que há muito não sentia*. Mas o quadro de TOC persistia, e continuamos com o tratamento médico e psicoterapêutico.

Cerca de oito meses após, no seminário de Goiânia, sem que ele, o paciente, estivesse presente, levei esse caso para um atendimento de supervisão com Bert Hellinger.

Ele iniciou com um único representante para o paciente. O representante escolhido fora o terapeuta espanhol Ramón Resino, presente naquela ocasião. Durante longos minutos, Ramón nos prendeu a atenção com seu corpo contorcido, a expressão facial transfigurada, os gestos e movimentos a demonstrarem o grande sofrimento psíquico daquele jovem homem por ele representado.

Sua irmã, presente no auditório, e eu reconhecíamos no representante gestos absolutamente similares aos do paciente em questão.

Bert Hellinger perguntou-lhe o que estava acontecendo, e ele apontou para o chão:

– Muitos mortos, ali mesmo.

Foram colocadas em seguida várias pessoas deitadas no chão.

A cena então repetiu a Constelação que eu havia focalizado meses atrás: a mesma imagem, as mesmas expressões de dor das pessoas deitadas no chão e o representante do paciente, completamente atordoado, andando entre os *mortos*, como que alucinado.

Bert Hellinger colocou também uma mulher, alguém relacionado àquele episódio traumático, e essa representante assumiu uma postura de algoz; queria pisar nas pessoas ao chão.

O criador das Constelações Familiares olhou para essa imagem e me disse tratar-se de algo grave no passado do paciente, *talvez abortos*. Eu então lhe falei que a imagem era a mesma da Constelação anterior focalizada por mim e que minha impressão era de que se tratava de uma batalha, muito antiga, com muitos mortos, à qual o paciente se vinculava com um profundo sentimento de culpa.

Ele, então, após uma breve reflexão, fez um sinal positivo com a cabeça e concordou com minha intuição:

– Pode ter sido isso mesmo, uma batalha, num passado distante.

Ele pediu que o representante do meu paciente, assim como a mulher escolhida por ele, deitassem no chão, junto aos demais. Após alguns instantes, todos silenciaram, e a sensação era enfim de paz.

A experiência de estar ao lado de Bert Hellinger e a oportunidade de uma supervisão confirmando minhas percepções no campo das Constelações foram um presente e um importante incentivo para que eu seguisse por esse caminho, abraçasse esse método e confiasse em sua verdade, ainda não totalmente testada nem consolidada pela ciência.

Esse é um paciente que acompanho até hoje, não mais como sua médica, pois ele reside em outro estado, mas nos comunicamos via *e-mail* com certa frequência e, apesar de seguir com sua doença, o TOC, teve uma melhora considerável do quadro.

Por meio de um concurso público, ele trabalha em área de grande responsabilidade e concluiu, recentemente, um mestrado com louvor.

Nessa melhora, todos reconhecemos a importância dos tratamentos psiquiátricos e psicoterapêuticos nunca interrompidos, mas também destacamos – ele próprio, seus familiares, outros profissionais que o acompanham – o papel crucial que teve a Constelação. Eu a considero um marco nesse caso, um impulso, o desenrolar de um novelo que permitiu ao paciente assumir a responsabilidade por seu tratamento e sua melhora.

Ele tem a intenção de escrever um livro sobre seu transtorno obsessivo-compulsivo, movido pelo sentimento de dever e compaixão para com outros pacientes com a mesma doença.

Interessante o compromisso que esse homem assumiu com um coletivo maior de pessoas, os seus colegas de TOC, como parte de sua cura profunda. Não posso deixar de ver aí um resgate relacionado à identificação com culpados e vítimas da relatada tragédia de seu sistema familiar, lealdades invisíveis reveladas pela Constelação Familiar. Uma tentativa de compensação por meio de um quadro clínico grave e complexo quanto à possível batalha outrora ocorrida?

Mais interessante ainda é que algum tempo depois dessa Constelação fui novamente procurada pela família para atender uma sobrinha desse paciente, de 12 anos de idade, em início de um quadro de transtorno obsessivo-compulsivo.

A adolescente não conseguia mais ir à escola, fora tomada por medos, pensamentos obsessivos, iniciando com rituais e evitações.

Além do tratamento psiquiátrico já instituído, iniciamos com homeopatia e realizamos uma Constelação Familiar com a presença de familiares.

Nesse caso, a Constelação mostrou forte correlação da doença da menina com o episódio de surto psicótico, morte e exclusão da bisavó. Como relatamos antes neste capítulo, essa família tem como trauma transgeracional o adoecimento mental da avó paterna e, especialmente impactante, sua morte súbita logo após a internação em um manicômio, sem que os familiares fossem avisados, sem que houvesse um velório e enterro do corpo por eles.

Todo um estigma se seguiu, traduzido em um enorme medo de que essa doença fosse transmitida geneticamente, levando à exclusão da bisavó do sistema.

Identificar e honrar essa bisavó, dar-lhe um lugar no coração e na família, trazer à luz da consciência o amor que não podia fluir foram alguns dos movimentos trabalhados na Constelação.

A bisneta estava profundamente vinculada à bisavó e a seu destino trágico. Essa foi a imagem trazida pela Constelação. Até que ponto esse adoecimento psíquico da bisavó, assim como dos demais membros da família acometidos por transtornos mentais graves, estaria também vinculado à cena da batalha identificada nas duas Constelações anteriores é uma pergunta inevitável, embora sem resposta no momento.

A adolescente teve uma evolução muito positiva, voltou a ter uma vida normal, e a família comemorou seus 15 anos em uma belíssima festa repleta de amigos e parentes, em uma *celebração da vida*, conforme me relatou sua tia e madrinha.

2.11. Constelações em casos de transtornos mentais decorrentes do uso de substâncias psicoativas

Por favor, meu pai, me segure forte.

Minha experiência como médica em atendimentos de pacientes e famílias envolvidas com a dependência de substâncias psicoativas, utilizando Constelações Familiares, proporcionou-me evidências de seu potencial terapêutico ímpar, seja no diagnóstico precoce, no enfrentamento da questão, na clareza quanto aos fatores determinantes, seja na elaboração de um projeto de tratamento individual, familiar e coletivo.

> O uso de substâncias psicoativas, incluindo álcool e nicotina, está entre os principais problemas de saúde pública no mundo. Cerca de 2 bilhões de pessoas são consumidoras de álcool, enquanto 1,3 bilhão é fumante e 185 milhões são usuárias de drogas ilícitas. O consumo dessas substâncias juntas contribuem para 12,4% das

mortes mundiais [...] além de importante problema social [...] criminalidade, conflitos familiares e violência [...]. (FORLENZA, 2012, p. 445.)

Além de ter pertencido à equipe técnica do Hospital Psiquiátrico Espírita Eurípedes Barsanulfo, em Goiânia, por cerca de dez anos, particularmente na Unidade de Dependência Química, fui diretora técnica do Centro Clínico Francisco de Assis, especializado em casos de dependência, diretora de Políticas sobre Drogas da Prefeitura de Goiânia e médica psiquiatra do Caps Flor do Cerrado na cidade de Ceres, em Goiás. Em todas essas ocasiões, tive a oportunidade de utilizar as Constelações e observar seus resultados e a adesão por parte de profissionais, pacientes e familiares.

Muitas das dinâmicas explicitadas pelas Constelações nesses casos permanecem presentes em minha memória, como a de um jovem, dependente de cocaína, cujo representante revelara o trauma profundo de uma criança em busca de conexão com os pais, em particular com o pai, a lhe suplicar:

– Por favor, me segure forte.

O pai, nesse caso, demonstrava um comportamento simbiótico com o filho, uma *codependência* – termo que caminha para o desuso, mas que ainda interpreta esse tipo de relação muito comum na clínica da dependência química, em que um familiar, mais comumente a mãe ou esposa, apresenta um comportamento facilitador do uso de substâncias pelo paciente. Nesse, e em inúmeros outros casos, pude observar o que o autor Franz Ruppert considera *trauma de simbiose*, em que relações com pais traumatizados geram dinâmicas de dependência e consequente falta de autonomia nos filhos adultos. Seu livro

Simbiose e Autonomia nos Relacionamentos aprofunda essa sua observação, trazendo contribuições valiosas para a compreensão e o enfrentamento da dependência química.

Esse pai citado acima, certa vez, atendeu a um pedido do filho e o retirou precocemente da clínica onde cumpria um programa de estabilização neuropsiquiátrica após uma overdose e experiência de quase morte, levando-o diretamente ao aeroporto, de onde ele partiu, sozinho, rumo a uma cidade à beira-mar para um encontro com amigos. Menos de vinte dias depois, ele teve que se juntar a uma equipe de busca por esse filho, encontrado desfalecido em uma praia deserta, em nova overdose de substâncias.

Outro caso: um operário qualificado de uma grande indústria metalúrgica, doente pela dependência de cocaína e *crack*, em que a esposa e a filha, a seu pedido, o mantinham por longos períodos trancado em um quarto pequeno nos fundos da casa, até que cessasse a compulsão do uso da substância. Esse paciente, quando veio para o tratamento em uma Constelação, pôde reconhecer, por meio de seu representante, um dos fatores causadores de seu transtorno: o vínculo invisível com a mãe e as tias maternas, que foram por longos períodos abusadas sexualmente pelo pai, seu avô. Uma dessas tias, a mais nova, ateou fogo em si mesma e morreu trancada em um quarto escuro nos fundos da casa. O paciente, além da dependência química, apresentava uma compulsão sexual que, por várias vezes, colocou em risco seu casamento. Seria uma dupla identificação, com o avô algoz e com a mãe e as tias vítimas?

Nesse caso, a Constelação trouxe um importante alívio para o paciente. Ele passou a dormir melhor e a ficar menos ansioso no período de tratamento na clínica. Continuei a acompanhá-lo no ambulatório por mais algum tempo e, apesar dos episódios de recaída ainda existentes, ele havia aceitado frequentar um grupo de autoajuda, o Narcóticos Anônimos (NA), em sua cidade.

Um outro paciente, alcoolista grave, veio com seus cinco irmãos homens, a maioria também usuários compulsivos de bebidas alcoólicas, e lhe pedi que escolhesse um representante para ele e outro para a *bebida* em seu sistema familiar. Ele escolheu um homem também dependente químico para si próprio e, para a *bebida*, uma mulher, bela, alta, mãe de um paciente, colocados um diante do outro. No início, os irmãos e ele próprio riam muito enquanto o representante do paciente sentia-se cada vez menor diante da mulher que representava a *bebida*. Ele também, o representante, ria com certa timidez, tendo dificuldade de encarar a outra representante, e repetia:

– Não a vejo muito bem, sei que ela está aí mas prefiro não olhar, não é importante – o que provocava na representante da *bebida* uma sensação de crescer mais e mais.

Ela dizia:

– Sou grande, forte e o trago com facilidade.

Pedi então ao representante do paciente que olhasse nos olhos da *bebida* e fizesse uma profunda reverência. Ele curvou-se até o chão, o que foi, aos poucos, interrompendo os risos dos irmãos assistentes e provocando na *bebida* uma sensação de encolhimento e perda de força. Pedi então que o paciente assumisse seu lugar e dissesse à representante da *bebida em seu sistema*:

– Você é maior do que eu, mas eu posso vê-la agora.

Um exercício fenomenológico assim simples provocou um impacto importante na evolução desse paciente. Foi uma tomada de consciência, e ele passou a assumir com mais seriedade e responsabilidade o seu tratamento. Outros membros da família me procuraram em seguida pedindo ajuda para outros casos de alcoolismo, sobretudo entre os mais jovens. Um desses irmãos me revelou, em consulta, que passou algumas noites em claro preocupado com o filho adolescente e o uso abusivo de bebidas alcoólicas.

Outros casos apontaram para uma dinâmica de aproximação do pai em situações extremas em que esse movimento fora negado pela mãe. Uma mãe que vivenciou um trauma na relação conjugal diante de um marido alcoolista – geralmente ambos em processos dinâmicos doentios com suas famílias de origem – interpõe-se entre os filhos e o pai, seja por medo de que lhe repitam o padrão, seja por raiva e vingança, seja ainda para se esconder atrás dos filhos ou para defendê-los de possível violência. Seja qual for o motivo, observamos que esses filhos tendem a encontrar na dependência de substâncias psicoativas o elo perdido, o contato faltoso, o significado de estar na vida.

Imersos no efeito do álcool ou de outras substâncias, é possível vivenciar momentos de anestesia diante de dores profundas da alma. Poucas condições clínicas nos pedem um olhar mais ampliado, um contato mais direto, uma disponibilidade emocional, centramento e preparo profissional contundentes quanto à dependência de substâncias psicoativas.

Longe de computarmos a uma Constelação Familiar a cura de doença tão complexa, podemos afirmar, no entanto, que ela cabe com perfeição e pode ser extremamente útil em um protocolo de atendimento a pacientes e familiares em situação de dependência química. Com as Constelações Familiares, temos nos aprofundado nas dinâmicas doentias e nos complexos emaranhamentos sistêmicos presentes na causação de transtornos mentais como as dependências e as compulsões em geral, ampliando a consciência sobre esse *amor* que se preconiza *exigente*.

2.12. Constelações familiares na prevenção e no enfrentamento do suicídio

Movimentos ocultos em direção ao morrer.

Os dados do Ministério da Saúde referentes ao suicídio no Brasil e no mundo revelam sua gravidade e seu crescimento de modo a torná-lo um dos maiores problemas de saúde do planeta. No Brasil, chegamos a índices assustadores de mais de 11 mil casos por ano, com uma previsão de 20% de subnotificação, isto é, suicídios que não são registrados como tal. Todas as faixas etárias e etnias são afetadas, mas sabemos serem mais altos ainda o índice entre os indígenas, a população idosa e os jovens. Recentemente, o aumento entre crianças na faixa etária de 10 a 15 anos vem nos impactando de maneira especial. O que está acontecendo, o que fazer? A Associação Brasileira de Psiquiatria vem desenvolvendo um amplo trabalho nesse sentido, tendo criado a *Campanha Setembro Amarelo*, com foco no esclarecimento e na prevenção ao suicídio.

Nos quinze anos que venho trabalhando com esta ferramenta terapêutica, posso afirmar que as Constelações Familiares, quando corretamente conduzidas, mostram-se instrumentos eficazes no diagnóstico precoce de um movimento em direção ao morrer, assim como atuam na reversão de tendências já manifestas, pensamentos, ideações e tentativas reais de suicídio.

Os resultados positivos que observo se devem, na maioria das vezes, à tomada de consciência do estado depressivo, do movimento subconsciente ou inconsciente atuante, do reconhecimento de sua gênese, muitas vezes em lealdades invisíveis ou vínculos patológicos ocultos. Essa ampliação de consciência é, por si só, de grande valia terapêutica, desfazendo verdadeiros estados de congelamento, provocando choques anímicos e permitindo o despertar para a realidade, para a vida e seu pulsar intrínseco.

Também observo o efeito das Constelações em revelar aos familiares estados depressivos não percebidos até então nos filhos, muitas vezes crianças ou adolescentes.

Além do recurso do diagnóstico de estados depressivos em suas várias fases e expressões, as Constelações Familiares, ao lidarem diretamente com o paciente suicida, vêm demonstrando um potencial de persuasão até então desconhecido em outras terapêuticas.

Quando o paciente observa e identifica todo o contexto em que seu pensamento se estrutura, o vínculo com o avô suicida e a lealdade da filha em um movimento de autodestruição, algo nele se desfaz e algo se reconecta, levando-o, não poucas vezes, a interromper ali mesmo o processo doentio.

As Constelações vêm confirmando o caráter familiar de estados depressivos e da ideação suicida. Nos casos em que há suicídios em ambos os sistemas, paterno e materno, percebemos que os riscos são maiores. Ao trazermos essas realidades à luz da consciência, damos passos importantes para sua resolução.

Atendi certa vez, no consultório, uma paciente com um *pensamento obsessivo em morrer*, nas suas próprias palavras:

– Penso o dia todo que meu marido pode me trair, pode ir embora, e, se isso acontecer, só me restaria o suicídio.

Tratava-se de uma profissional de saúde, uma mulher bela e elegante, com seus 40 e poucos anos, em um casamento de vinte anos, *harmonioso*, com dois filhos adolescentes. Ela estava em pânico. Procurou-me como médica psiquiatra e me pediu que a internasse, pois temia do que fosse capaz. Não acreditava muito na Constelação e até já havia feito uma, com outro profissional, *agravando o sintoma*.

Não havia nenhum motivo para a desconfiança; o marido nunca lhe dera razão para isso, e sua insistência nessa possibilidade começava a abalar a relação entre eles.

Perguntei-lhe então sobre esse sintoma, seu início, e investiguei sobre seus pais e a história das famílias de origem.

– Nada – ela dizia. Eles haviam se casado jovens, aos 18 e 20 anos. – Nenhum fato marcante com os ex-namorados.

Apesar de sua resistência, acabou cedendo à minha sugestão de trabalharmos com uma Constelação individual, com as imagens, pois minha hipótese era de que esse pensamento obsessivo estava vinculado a algo do passado dos pais. Antes de colocar os personagens, refiz a pergunta sobre a possível existência de alguém importante, um ex-noivo da mãe ou uma ex-namorada do pai.

– Não, não há nada importante.

Pedi, então, que ela colocasse os bonecos: ela, o pai e a mãe. A imagem externalizada trouxe uma informação que nos chamou a atenção. O pai tinha sua esposa, mãe da cliente, à esquerda, não tão perto, e ela, a cliente, estava de frente para o pai. Notei que a direção do seu olhar era na verdade para algo ou alguém do lado direito do pai, e o boneco que representava o pai estava discretamente voltado também para esse lado. Ambos, filha e pai, olhavam para o mesmo ponto.

Minha percepção e minha sensação eram claras: havia alguém nesse sistema, alguém excluído. Quem seria? Voltei a insistir com a cliente, agora com mais firmeza.

–Você tem certeza de que seu pai não teve alguém importante antes da sua mãe?

Ela então demonstrou espanto, como se saísse de um congelamento, e exclamou:

– Meu Deus, como eu havia me esquecido? Meu pai teve, sim, uma namorada lá na cidade onde morava. Ele estava com 15 anos e ela, 13.

O namoro foi ficando muito sério e os pais decidiram separá-los, enviando o adolescente para outra cidade, com a desculpa da necessidade de avançar nos estudos. A menina entrou em desespero e, poucos dias depois de sua partida, veio a se suicidar. O pai havia contado essa história, confirmada pela mãe, mas ela *não se lembrava*.

Esses *esquecimentos* são recorrentes nas Constelações, como já mencionado antes. Muitas vezes, temos de repetir a pergunta e aguardar um tempo para que as respostas venham. Outras vezes, elas surgem no decorrer da Constelação, por meio da fala dos representantes. Penso que informações tão impactantes devem permanecer guardadas em alguma área do cérebro enquanto atuam em nível subconsciente determinando padrões, crenças e comportamentos.

O fato é que essa morte impactara em definitivo o sistema desse homem, e não foi surpresa perceber que uma das filhas, no caso a mais velha, tenha se identificado com a adolescente, primeira namorada do pai, e seu destino trágico.

Colocamos uma boneca para representá-la, e nossa cliente foi se aquietando, arrumando o cabelo, respirando mais profunda e conscientemente, sem esconder as lágrimas que estiveram presentes todo o tempo. O choro agora era outro, mais forte e mais calmo ao mesmo tempo. Fui até ela e a abracei; ela precisava desse colo no momento. Quanto tempo identificada com essa dor, tomada por essa informação perturbadora, prestes a cometer um ato que afetaria não só ela, mas todos da sua família!

Pedi então que ela olhasse para aquela ex-namorada ali representada e lhe dissesse palavras de reconhecimento e liberação. Antes, coloquei-me no lugar do pai e, dirigindo-me à primeira namorada, disse-lhe o quanto ela fora importante, que seu lugar de primeira mulher, primeiro amor, estaria para sempre reservado, e quanto lamentava sua morte, tendo ficado com a responsabilidade que me cabia e lhe deixando com a parte que era dela.

– Éramos apenas crianças, não tínhamos maturidade para viver nosso amor – disse-lhe, e acrescentei: – Por favor, libere minha filha, pois ela é inocente.

A cliente acompanhava tudo em estado pleno de atenção. Ao final, pedi que ela também se dirigisse à menina e lhe dissesse que, inconscientemente, havia se vinculado a ela; que a reverenciava e reconhecia seu direito de pertencer àquele sistema; que, se ela não tivesse aquele fim trágico, seu pai poderia até ter se casado com ela e não teria os filhos que hoje tem. Mas também lhe pediu que a abençoasse se ela tivesse um destino diferente e fosse feliz ao lado do homem que amava.

A noite já havia chegado. Pela urgência, aceitara atendê-la fora do horário habitual. Mesmo sendo testemunha de sua melhora, de sua transformação, pedi que entrasse em contato comigo a qualquer hora que precisasse.

Aquela cliente, seu quadro clínico, sua história e Constelação me tocaram profundamente. Costumo contá-la aos alunos, preservando as identidades, como exemplo de vínculos e emaranhamentos sistêmicos implícitos em sintomas e doenças, em particular os do campo da psiquiatria.

Essa cliente saiu outra pessoa do consultório: refeita, serena. Alguns anos depois eu a encontrei em um evento, quando ela fez questão de me dizer, em particular, quanto era agradecida por aquele trabalho, que o sintoma desaparecera por completo e que ela estava muito bem com seu casamento.

Nesse caso, a metáfora do sino tibetano, relatada em outro capítulo deste livro, remete-nos a persistir com o bastão tocando suavemente as bordas da bacia até que toda a melodia ressoe e a canção seja concluída.

Trabalhar com pacientes com transtornos psíquicos nos exige muito. Precisamos estar o mais livre possível de julgamentos e estereótipos; sustentar, no nosso ser, a força do campo que se apresenta; saber a palavra certa e o momento certo de se calar. Afastar-se e estar junto ao mesmo tempo. Não deixar que o medo nos paralise, sem deixar de reconhecê-lo e acolhê-lo como legítimo, humano e esperado.

Depois das Constelações, passei a ampliar meu olhar e abrir mais meu coração aos pacientes com transtornos autodestrutivos, como as dependências químicas severas.

Em geral, as dinâmicas que se apresentam nesses casos assemelham-se às dos episódios depressivos graves: vinculações doentias, histórico de perpetradores e vítimas no sistema familiar, traumas geracionais e transgeracionais. Identifico aqui, muitas vezes, o chamado *trauma de simbiose* desenvolvido por Franz Ruppert, em que o comportamento simbiótico do filho com um dos genitores, comumente a mãe, compromete profundamente sua saúde mental.

Esse autor descreve a relação de dependência entre mãe e filho, além do período natural em que o recém-nascido ou a criança pequena necessitam de cuidados e atenção intensos, como *trauma de simbiose*.

Geralmente trata-se de uma mãe emocionalmente imatura, traumatizada ela mesma com sua história de origem, que passa a viver com o filho um vínculo patológico de mútua dependência. O filho não está livre para se desenvolver, para crescer e seguir sua vida com autonomia. A mãe tampouco se libera para vivenciar a vida em sua plenitude, seja no campo afetivo ou profissional.

Muitas das Constelações que focalizei com famílias envolvidas em transtornos de dependência química tinham presentes essa dinâmica do trauma de simbiose. Sua identificação e sua aceitação costumam ser muito difíceis por parte da mãe ou do pai que a sustentava, assim como para o filho. São casos, como muitos outros no campo da psiquiatria, que necessitam seguir um acompanhamento psicoterapêutico para que todo esse processo possa ser compreendido, integrado e concluído.

Encontro esse trauma também em pacientes com histórico de repetidos acidentes graves, quase fatais, assim como em alguns que praticam esportes radicais – dinâmicas suicidas respondendo a vinculações sistêmicas transgeracionais.

Difícil não suspeitarmos de uma dinâmica sistêmica diante do adoecimento mental de uma criança ou de um adolescente. Percebo que, quanto mais grave é o transtorno, mais severos são os traumas no sistema familiar, muitas vezes de gerações anteriores.

As crianças se vinculam de forma profunda e silenciosa a episódios traumáticos e comportamentos em risco no sistema familiar. Como já apresentamos em outros capítulos, é comum a criança com déficit de atenção ou outro transtorno psíquico apresentar uma dinâmica de superatenção à mãe ou ao pai adoecidos mentalmente. Encontramos crianças em quadros depressivos cuja Constelação revelava um *script* de tentativa de *salvar* a mãe ou o pai, *ainda que lhe custasse a própria vida*.

Outras vezes apresentam-se movimentos em direção ao pai ou à mãe falecidos ou distantes.

Uma paciente veio devido a um quadro depressivo. Estava em tratamento médico há muitos anos e, embora se sentisse melhor, ainda era tomada por *ondas* que a paralisavam, e de forma recorrente vinham-lhe pensamentos de que a *morte seria o único alívio verdadeiro*.

Sua Constelação revelou o forte impacto de estar entre dois irmãos natimortos.

O trabalho de reconhecimento e integração desses irmãos, por parte de toda a família ali representada, trouxe um grande alívio para a paciente. Algum tempo depois, ela voltou para participar dos grupos de Constelação, sempre disponível, eventualmente nos lembrando de ser *uma pessoa antes e outra depois da Constelação*.

Observo que, com as Constelações, as pessoas ampliam seu olhar sobre si mesmas e seus sistemas familiares, atuais ou de origem, passando a estar mais presentes na convivência com o outro. Descobrem um filho com sintoma ou um comportamento até então não percebido, melhoram sua relação de casal, compreendendo melhor as dinâmicas familiares do outro, reverenciam mais a família do parceiro, impulsionam um clima mais harmonioso ao seu redor.

Nesse contexto, muitos sintomas e pensamentos negativos presentes têm a permissão de se revelarem ainda em tempo de serem acolhidos e tratados.

2.13. Observações sobre as Constelações de pacientes com transtorno mental

O amor implícito no afastamento afetivo.

Eu recebo muitos pacientes psiquiátricos encaminhados por outros colegas médicos ou psicólogos. Nesses casos, convido-os a estarem também presentes, pois uma Constelação pode trazer elementos novos que vão colaborar com os processos de tratamento.

Algumas questões são importantes no atendimento de pessoas com transtornos psiquiátricos que buscam uma Constelação.

O paciente em quadro de confusão mental, delirante ou com alucinações, no momento do atendimento, não deve ser submetido a uma Constelação, seja como cliente, seja como representante, com o risco, inclusive, de piora do seu estado. Um familiar seu, preferencialmente a mãe ou o pai, pode fazer uma colocação da família, com foco na doença do paciente em questão.

Porém, o paciente estabilizado, em tratamento, lúcido e consciente, pode perfeitamente ser um cliente ou representante em uma Constelação, podendo ter ali muitas respostas e melhora do seu quadro, sobretudo no que se refere aos vínculos familiares, à melhora em seu sentimento de pertencimento, de ter um lugar, de ser visto, de ampliar sua consciência a respeito do próprio estado psicológico e de seus sintomas.

As Constelações têm ajudado o familiar a compreender a dinâmica do adoecimento, percebendo seu caráter sistêmico e transformando o olhar e o comportamento, muitas vezes impaciente e intolerante, com o familiar adoecido. Afinal, não raro, percebe-se que ele carrega por todos algo grave do sistema familiar.

Nossa experiência confirma a utilidade dessa abordagem no apoio aos familiares de pacientes psicóticos e a ajuda subsequente, direta ou indireta, ao paciente em questão.

Lidar com essa clientela nos exige ainda mais em termos de preparo pessoal e conhecimento profundo da técnica.

Certa vez, atendi uma paciente encaminhada por um colega médico com sintomas depressivos e quadro de ansiedade. Em geral, atendo esses pacientes antes, no consultório, para ter melhor avaliação do quadro e para prepará-los para a Constelação. Nesse caso, ela foi diretamente ao grupo, e eu soube do encaminhamento no momento da entrevista inicial.

Ela enfatizava um movimento interrompido em direção à mãe, sendo a única mulher de três irmãos e a filha mais velha.

Pedi que ela escolhesse um representante para ela, outro para sua *sintomatologia*, incluindo aí os sintomas depressivos e a ansiedade, para o pai e a mãe. Ela escolheu para representar a *sintomatologia* uma jovem que viera pela primeira vez ao grupo e que eu já havia notado, algo ansiosa, na sala.

Em um primeiro momento foram colocadas, pela paciente, duas representantes, para si mesma e a *sintomatologia*, bem próximas, sendo que esta última estava logo atrás da primeira. Ambas olhavam para a frente, de modo que a representante da paciente sentia aquela presença *incômoda* atrás de si e tinha muito medo de encará-la, enquanto a outra sentia um movimento interno de se afastar.

Pedi que permanecessem um instante naquele lugar em que foram posicionadas. Foram então acrescidos os representantes do pai e depois da mãe. Com essa última colocação, a da mãe, logo a representante da *sintomatologia* irrompeu em prantos; gritava e emitia sons irreconhecíveis. Correu até um canto da sala e permaneceu ali, incomunicável. Fui até ela, chamei-a pelo nome e pedi que se afastasse um pouco do papel, de toda aquela intensa sintomatologia. Fiz um *"ground" de olhar*, isto é, pedi que me olhasse bem nos olhos, enquanto eu fixava meu olhar no dela. Fui então chamando-a para uma maior percepção da realidade.

Depois de alguns instantes, ela se acalmou e me disse que algo lhe despertara internamente quando a representante da mãe entrara em cena.

Em ocasiões assim, adoto a conduta de não deixar a pessoa que está em um papel tão mobilizador tanto tempo nem em toda a intensidade da representação. Já havíamos percebido o fato, a dinâmica; considerei desnecessária a persistência dessa manifestação.

Voltei-me para o quadro todo e percebi que a representante da mãe fazia uma certa barreira, tentando afastar a filha daquela outra *em surto*. Perguntei-lhe o que estava acontecendo, e ela me disse:

– Isso é comigo. Ela, a *sintomatologia*, me pertence, a mim e a minha mãe. Não quero que minha filha a tome também – e continuou: – Mesmo que ela pense que eu a estou abandonando, prefiro que ela fique longe de nós.

A paciente assistia a tudo, perplexa e emocionada, tensa em um primeiro instante e aparentemente mais aliviada ao final. Chorava muito, e eu lhe perguntei o que estava acontecendo, se tudo aquilo fazia sentido, e ela disse:

– Sim, muito sentido.

Contou-nos que tinha muito medo de *ficar louca, de surtar;* que ouvira dizer que sua avó materna, que ela não conhecera, fora diagnosticada com transtorno mental e que havia falecido por suicídio enquanto a mãe era ainda adolescente.

Revelou também que essa avó era negra e filha de escravizados da fazenda dos pais de seu avô. Na entrevista inicial, ela não relatara esses fatos, o que acontece com certa frequência, pois os estigmas da morte por suicídio, do transtorno mental e da origem negra e escravizada são ainda muito presentes entre nós.

A Constelação revelara o grande amor daquela mãe no movimento de afastamento da filha. Ela queria protegê-la, afastar aquela *maldição*, como muitas vezes é considerada a doença mental grave. Mas, por meio da sintomatologia, ela permanecia vinculada à mãe, pertencendo também à linhagem materna e, embora seus sintomas fossem mais amenos, aquela informação estava presente em seu DNA.

A *loucura*, como generalizamos os transtornos psicóticos, fazem parte de todas as histórias transgeracionais, com maior ou menor frequência e intensidade. As Constelações Familiares vêm contribuindo para a abertura dessa *caixa-preta*, tão estudada pela ciência de todo o mundo, e que revela emaranhamentos sistêmicos com fortes indícios de vinculação.

Repetidas vezes, nas Constelações de pacientes psiquiátricos, observamos nosso passado sombrio, não tão distante, envolvendo a escravidão de negros e de índios no Brasil em vínculos que acorrentam as gerações e os sistemas atuais.

2.14. Constelações e adolescentes em conflito com a lei – uma experiência em Goiás

O Eu-157.

Em 2009, a pedagoga Luciene de Brito Pinheiro e a psicóloga Juliana de Sousa Pires, ambas formadas no método das Constelações Familiares pelo IBS Sistêmicas, introduziram as Constelações Familiares no Centro de Internação de Adolescentes (CIA) em conflito com a lei, em Goiânia. Os resultados imediatos foram surpreendentes.

O diretor da Unidade na época, João Luís Correa, percebeu o impacto do trabalho na mudança positiva do comportamento dos adolescentes que eram atendidos pelo método ou que apenas participavam como ouvintes e representantes. Os demais membros da equipe técnica da Unidade também deram *feedbacks* animadores, o que nos incentivou a ampliar os atendimentos e elaborar um projeto de pesquisa, que veio a ser aprovado pela Comissão de Ética da Pontifícia Universidade Católica (PUC) de Goiás: As Constelações Familiares na Atenção aos Adolescentes em Conflito com a Lei, sob a coordenação das psicólogas Juliana de Sousa Pires e Maria Aparecida Dias, além da minha também.

Os dezesseis adolescentes internos selecionados foram submetidos, bem como seus familiares, a uma entrevista semiestruturada, sendo que os meninos também foram avaliados com o Psicodiagnóstico de Rorschach, antes e seis meses após a Constelação. Na aplicação do Psicodiagnóstico de Rorschach, contamos com a colaboração da psicóloga especialista no método, Maria Augusta de Freitas Custódio França.

As Constelações aconteciam aos domingos, na sede da própria instituição, e a cada semana era maior o número de familiares e menores interessados em participar. Participar da Constelação aos domingos pela manhã, como ouvintes e representantes, passou a ser uma premiação para os menores de bom comportamento.

Mesmo que alguns menores tenham interrompido a participação na pesquisa, por motivos diversos, mas, sobretudo, pelo afastamento da instituição antes do prazo previsto, o que veio a comprometer seus resultados científicos, os dados colhidos e apresentados ao Ministério Público de Goiás, em setembro de 2011, apontam para: redução importante da ansiedade; mudança positiva de postura com relação aos familiares; auxílio na elaboração e na responsabilização perante o delito praticado; auxílio no enfrentamento da progressão de medida sugerida pela equipe para o adolescente; os adolescentes passaram a solicitar sua participação no grupo de Constelações e a solicitar a participação dos familiares nelas, o que não é nada usual em se tratando de adolescentes e psicoterapia.

Nossa conclusão é no sentido de uma perspectiva extremamente positiva caso as Constelações Familiares sejam introduzidas com importância na abordagem aos adolescentes em situação de criminalidade.

Vivências profundas e resultados surpreendentes nos impactaram nesse contato com os adolescentes e seus familiares do Centro de Internação em Goiás.

As Constelações nos ajudam a ter um olhar ampliado sobre a dinâmica da violência que sabemos ser complexa, sistêmica, multifatorial, econômica, social e culturalmente sustentada.

Não tínhamos a ilusão de que, com esse projeto, isolado de um contexto maior de mudanças, iríamos intervir de forma resolutiva no problema vivenciado por aqueles adolescentes e toda a comunidade afetada ao redor. Mas, com seus primeiros resultados, percebemos o potencial impactante do método; era como se uma janela se abrisse na abordagem terapêutica desse coletivo de adolescentes e suas famílias. Resolvemos iniciar o trabalho.

Um representante para você e outro para o seu Eu-157.

Escolher mais de um representante para o sujeito em questão é um método que vem se mostrando muito perspicaz em Constelações Sistêmicas. O Sisc Study – estudo multicêntrico sobre sintomas, doenças e Constelações sistêmicas –, citado anteriormente neste livro, evidenciou a eficácia desse método, permitindo ampliar e aprofundar o olhar sobre a pessoa e sua questão.

Decidimos iniciar as Constelações, após uma breve entrevista e preparação do campo envolvendo a todos os presentes, pedindo que o adolescente escolhesse um representante para si próprio, que costumo, como já dito, chamar de *eu real*, e um representante para seu *eu comprometido com a criminalidade*.

Como a maior parte deles se encaixava no artigo 157 do Código Penal, *assalto à mão armada*, passou a ser então o *Eu-157* esse outro eu representado.

Na evolução das Constelações, íamos introduzindo os outros elementos: a mãe, o pai, irmãos, tios importantes, avós e as vítimas. Esse momento com as vítimas geralmente acontecia ao final da Constelação, depois que as dinâmicas familiares já haviam sido trabalhadas.

As histórias se repetiam: crianças afastadas muito cedo do pai, muitas vezes também da mãe, criadas por padrastos e avós, pais condenados cumprindo pena, muitos deles mortos, assassinados ou foragidos. Movimentos interrompidos em direção aos pais; lealdades invisíveis aos familiares, ancestrais; desordens de todo tipo; identificações doentias; desesperança e dor. Mas, de repente, fomos presenciando caminhos que se abriam, movimentos, reverências, choros, pedidos de perdão, responsabilização, esperança e alívio.

Diante das vítimas, escolhidas por eles entre os presentes, sendo que algumas vezes eram colegas de sentença, costumávamos levar o próprio adolescente-cliente a olhar nos olhos e se dirigir a cada um dos representantes das vítimas.

– Pode escolher uns dez, tia – disse-nos um jovem de 16 anos, um tanto cabisbaixo, para representarem suas vítimas.

Acompanhados pelo terapeuta constelador, o jovem foi levado a manifestar seus sentimentos e sensações, diante de cada uma das vítimas ali representadas, assim como escutou dela, a vítima, seu relato e sua experiência, em geral impactante, com gestos de pavor e desejo de fuga.

– Foi mal – ele disse, olhando mais para o terapeuta do que para a vítima, e nós, comumente, complementávamos para que ele repetisse, olhando nos olhos de sua vítima ali representada: *Eu fico com a responsabilidade do que eu fiz, eu sinto muito*. Ao final, muitas vezes, ouvíamos dos representantes das vítimas expressões de alívio e reconciliação.

Presenciamos, de muitos representantes dos *Eus-157*, falas e movimentos de identificação com alguém excluído da família, o pai ou um tio que havia cometido crimes, estava preso ou foragido; sensação de mal-estar; *angústia*; e, posteriormente, alívio, quando eram vistos pelo *eu real* e, sobretudo, quando podiam expressar sua responsabilização pelo crime cometido.

Um deles, durante a Constelação, enfrentou a mãe ali presente, pois, enquanto seu representante dizia com muita convicção que havia cometido, sim, aquele ato criminoso, a mãe queria interromper a Constelação:

– Isso não é verdade.

O adolescente, ele mesmo, disse então com bastante firmeza para a mãe:

– Pare de negar, é verdade, sim, eu fiz isso e muito mais.

Tivemos que acolher também essa mãe, que estava inconformada com aquele processo e só se acalmou quando o filho foi até ela e a abraçou, dizendo:

– Eu sinto muito, sei que sou uma decepção pra você.

Enfrentar aquilo que é, como foi e poder assumir responsabilidade são caminhos para interromper esse ciclo de violência, segundo a nossa conclusão.

Encontramos muitos adolescentes crescidos na condição de uma vida ameaçada desde sempre que, diante de uma oportunidade de escuta amorosa e verdadeira, como essa, permitem-se experimentar uma nova rota.

Diante do *eu real*, muitos dos *Eus-157* de nossas vivências terapêuticas viam-se como crianças frágeis e abandonadas, escondidas atrás de um revólver. Várias Constelações caminharam para um final de integração, com forte impacto positivo nos adolescentes e seus familiares.

Certa vez, um estudante de psicologia pediu para participar de uma sessão com os adolescentes, curioso e desconfiado do método. Foi escolhido como uma das vítimas do adolescente infrator e, embora manifestasse inquietação com tremores, ao lhe perguntar o que estava ocorrendo, respondeu, dirigindo-se ao menor:

– Você é apenas uma vítima do sistema político e social do país.

Ao que o menor retrucou, prontamente, dirigindo-se ao constelador:

– Ele não entendeu nada.

Colocar-se no lugar do outro, sobretudo nesses casos de vítimas diante de agressores, exige muito de nós. Exige, principalmente, nos esvaziarmos de nossos preconceitos e julgamentos.

Os adolescentes iam ampliando a consciência de si próprios, iam encarando seu *eu sombrio* e suas histórias violentas, iam achando um lugar ao qual pertencessem, uma porta aberta, um gesto que consola, e passavam a ter uma relação diferente entre eles e com os familiares. Era comum seguirem com os *papéis interpretados* no dia a dia da instituição, geralmente em colocações positivas.

Em uma visão mais ampla, as Constelações Sistêmicas organizacionais têm nos possibilitado esse acesso. Vamos concordar com o jovem psicólogo quanto aos determinantes sociais e culturais da criminalidade, afinal, quase todos os dezesseis menores de nossa pesquisa eram negros e pobres. E, sem uma intervenção nesse âmbito, nossa ação é muito limitada.

Porém, é necessário atender, acolher e enfrentar o caso ali à frente, apresentar soluções, criar pontes que possibilitem esse percurso interno, oferecer recursos para que esses sujeitos também possam ter oportunidades de reflexão e mudança.

As Constelações Familiares, ao nos apresentar uma visão ampla, sistêmica e profunda, ao mesmo tempo em conexão com o sujeito ali ao lado, oferece-nos uma oportunidade ímpar de um trabalho terapêutico transformador.

No Brasil e em outros países, as Constelações Familiares vêm adentrando prisões e tribunais, oferecendo respostas em conflitos das mais variadas ordens.

Nos Estados Unidos, a experiência desenvolvida com as Constelações em uma prisão de segurança máxima no estado de Massachusetts deu origem a uma tese de doutoramento e um livro: *I Carry your Heart in my Heart: Family Constellations in Prison*, de Dan Cohen.

Em dezembro de 2019, o IBS Sistêmicas, em parceria com o Juizado da Infância e Juventude de Goiânia, retomou o trabalho com o Projeto Vir a Ser – As Constelações Familiares na Atenção aos Adolescentes, cumprindo medidas socioeducativas.

3

Outros Relatos de Vinculações Sistêmicas

3.1. Situações de risco e o vínculo invisível com a mãe

Mother, it's enough!

Com essas palavras, Gunthard Weber acalmou meu coração e concluiu o processo que eu havia começado ao embarcar em direção à Alemanha, dois dias antes. Ele, professor de Psiquiatria da Universidade de Heidelberg, mestre das Constelações e coordenador da pesquisa multicêntrica envolvendo sete países, de que eu fazia parte, dirigindo uma equipe do Brasil (o Sisc Study já citado), ciente do acontecido, me abraçou assim que adentrei a sala.

– Foi horrível, pensei que iria morrer – eu lhe disse. Ele me pediu, então, que eu olhasse, internamente, para minha mãe e lhe dissesse: *Mãe, é o bastante.*

Aquela frase era a sentença que me faltava. Ele conhecia a minha história, a morte prematura da minha mãe e todo o seu calvário, seus últimos anos em estado de *coma em cativeiro*, em uma idade que se aproximava então da minha.

Em um instante, compreendi tudo o que havia acontecido, as várias situações de risco envolvidas desde que chegara a Roma, em uma escala antes de embarcar para Munique. De forma inesperada, meu passaporte desaparecera, possivelmente furtado sem que eu me desse conta.

Não era possível sair do aeroporto para nenhum outro lugar. A polícia local não me dava outra opção, apenas a volta imediata ao Brasil.

Após horas de tentativas de negociação, consegui um contato com o Consulado Brasileiro em Roma, que me deu a opção da confecção de um novo documento, mas eu não tinha autorização para deixar o aeroporto e adentrar o novo país sem o passaporte.

O tempo passava. Eu havia perdido o voo para a Alemanha, e minha bagagem, por falha deles, seguira sem mim. Meu tempo de residência na Itália nos anos 1990, o conhecimento da língua e de algumas nuances da cultura me ajudaram a convencer um oficial a, por fim, me colocar do lado de fora.

Muitas horas depois, tomada por um enorme cansaço, voltei ao aeroporto de Roma com meu novo passaporte e uma ponta de esperança de ainda pegar um avião até meu destino final.

O único voo que restava, no preço da passagem inteira ida e volta, ofereceu-me o último assento, e eu cheguei a Munique no início da noite. Localizar minha bagagem foi outro capítulo da novela, do filme que estava a encenar e dirigir.

Sim, porque comecei a perceber meu pessimismo e minhas previsões, as mais negativas, desde que saíra de Goiânia: *algo ruim poderia acontecer nessa viagem.*

Depois de várias horas de procura pela mala, que fora considerada suspeita de bomba e jogada de um lado para o outro, encontrei-a aberta, tão perdida quanto eu, com as roupas caindo para fora, deixada em um canto qualquer do imenso aeroporto da Baviera alemã.

Um trem me levaria à Estação Central de Munique, onde eu deveria pegar um outro, o último, até a cidade sede do evento, à meia-noite. No percurso, entrou um homem embriagado, confuso, e eu sabia que ele viria para o meu lado, claro. Até então, não tinha consciência, mas eu atraía com meu pensamento todas essas situações, e ele veio.

No processo de me livrar da companhia incômoda, perdi a estação em que deveria descer e, até desfazer o erro e voltar para o local certo, foram outros longos minutos em meio à exaustão física e psicológica.

Faltava pouco para a meia-noite, o horário do último trem, e eu, meio adormecida em um banco da Estação Central de Munique, quase vazia, fui tomada por um outro pensamento, mais um daqueles: *e se um grupo de* skinheads *me abordasse aqui, eu na minha pele morena a denunciar minha condição de estrangeira, nada ariana. Como fazer, sem forças como eu estava?*

E eles vieram, brotaram na minha frente, vários, e caminharam ofensivamente em minha direção.

Nesse momento, tomei consciência do que eu estava a provocar e, por fim, reuni minhas forças, meu pensamento, que fora sempre tão positivo em minha vida, e minha fé, e levantei-me. *Não, nada de mal iria me acontecer*. Levantei e passei por eles, empurrando minha mala e pronta para gritar se precisasse; não foi preciso, pois logo adiante estavam alguns policiais que os seguiam e, de forma gentil, pediram-me calma, dizendo que tudo estava sob controle.

Veio o último e esperado trem. Eu adormeci durante os 60 minutos da viagem, mas só acordei realmente desse pesadelo quando cheguei ao hotel na pequena vila montanhosa e encontrei na porta já fechada um bilhete: *Mrs. Ramos, please ring the bell*.

Toquei o sino como se realizasse um ritual, todo o meu ser vibrando apesar do corpo quase desfalecido, faminta e com sede, pois não me dera conta das necessidades fisiológicas, talvez pelo receio de perder o foco e as forças.

Aquele senhor alto, alvo e tão gentil, engraçado em seu pijama longo, recebeu-me com um sorriso largo, embora algo sonolento, e me encaminhou até o quarto a mim reservado.

Apesar do escuro da noite, eu podia perceber alguns detalhes da natureza exuberante ao redor, e o som da queda-d'água era música clássica aos meus ouvidos, já exaustos de ruídos dissonantes. O perfume inconfundível das tílias inundava minha alma, sempre a me remeter a um tempo antigo, uma lembrança imprecisamente real. Eu lhe pedi, então, a gentileza de um lanche, um chá, um pedaço de pão, apesar da hora.

– Sim senhora, um momento.

Instantes depois, ele bateu à porta do meu quarto de hotel, aquele paraíso que até pouco tempo atrás pensei não existir para mim, e diante daquele homem enorme com sua bandeja repleta e colorida, desabei a chorar.

Não consegui me controlar.

– *Mrs. Ramos, what is happening, what can I do for you?* – nada, era um choro que estava guardado, era um grito de agradecimento, de sobrevivência, de final feliz depois de tudo.

Na bandeja, além de vários tipos de chás, leite, pães, queijos, presunto, biscoitos e bolos, havia um pequeno vaso com uma flor natural, às 2 horas da manhã.

Ele colocou a bandeja em uma pequena mesa, ofereceu-me lenços para enxugar minhas lágrimas e esperou alguns instantes, sem saber mais o que fazer. Eu lhe disse que era um choro de alegria e agradecimento. Ele se despediu dizendo que qualquer coisa, *anything!*, eu poderia chamá-lo.

Fechei a porta e comi alguma coisa, sem conseguir conter as lágrimas. Estava diante do belo, do sublime, da delicadeza da essência humana, amorosa, não só viva naquele homem, mas também em outros, no Gunthard Weber que preparava esses encontros anuais com todos os detalhes das boas-vindas, o cuidado com nosso bem-estar e as condições, melhores possíveis, para nossas partilhas e nossos estudos – além dos intervalos sempre preenchidos de surpresas culinárias, artísticas e culturais maravilhosas.

Eu havia mergulhado na sombra humana, na minha própria negatividade, e agora me permitia viver também o outro lado, a vida com todas as suas possibilidades de beleza, seus chás com biscoito e suas flores naturais.

A identificação com o destino de minha mãe, sua morte prematura aos 55 anos de idade, seu sofrimento prolongado, a vida que não pôde viver, os netos que não conheceu, as viagens que não fez. Eu não estava livre para viver tudo de bom e belo que a vida me proporcionava, não sem culpa; afinal, como poderia?

Essa verdade tão secreta quanto real e impactante em nossa psique: a culpa, o não se sentir livre para viver o que nossos pais não puderam. Ter um destino mais leve é pesado para muitos de nós, presos aos laços invisíveis dos emaranhamentos sistêmicos.

Ao voltar dessa viagem, percebi que deixara para trás grande parte da bagagem de sentimentos adotados, crenças limitantes, impossibilidades inconscientes. Eu me sentia livre, bem mais livre.

É o bastante, minha querida mãe. E, por favor, me abençoe se meu destino pode ser mais leve que o seu.

No ano seguinte, parti para outro encontro com o grupo do Sisc Study, novamente na Alemanha. Tudo correria bem, não haveria obstáculos; no imprevisto só coisas boas que eu nem poderia imaginar. Estava disposta e aberta a viver a melhor viagem da minha vida desde então.

E assim foi.

3.2. As Constelações da ansiedade diante do futuro – uma vivência de integração

O pequeno lavrador, o pesquisador e o cientista.

Dentre os inúmeros exercícios fenomenológicos criados com base nas Constelações Familiares de Bert Hellinger e em seu desenvolvimento no campo profissional, temos o Integração de *Curriculum*, em que cada experiência e/ou projeto da pessoa pode ser identificado e colocado por meio de um indivíduo representante ou de imagens. Minha experiência com essa abordagem levou-me a aprofundá-la, acompanhando o cliente em uma viagem psicossintética em que, mais do que reunir recursos e curar feridas das vivências no campo do trabalho, podemos integrar *eus* dispersos e *partes ocultas da alma*, em um resultado terapêutico surpreendente.

Em uma das turmas de formação no método das Constelações Familiares, um dos alunos candidatou-se a viver essa experiência, que resolvi nomear de *integração de curriculum e vida*, proporcionando a todo o grupo uma vivência de rara beleza e profundas reverberações em cada um. Estávamos já no penúltimo módulo do curso, depois de quase um ano de convivência mensal, e esse aluno chamava a atenção pela sua discrição e enorme disponibilidade nas vivências dos colegas, sendo algo enigmático em minha observação respeitosa.

Durante todo o curso, ele usava um chapéu-panamá branco e, no início, por meio de brincadeiras não tão respeitosas, tentei tirá-lo, sem êxito. Terminei por reconhecê-lo integrado ao seu chapéu e, aos poucos, fomos todos percebendo o homem culto e sábio que enriquecia sobremaneira com sua presença, calada, nosso curso.

Apenas sentou-se ao meu lado, ocupando pela primeira vez no curso a cadeira de cliente, irrompeu em um choro incontrolável, que atropelava o enorme esforço de suspendê-lo.

Respiramos juntos e, quando ele se mostrou pronto, perguntei-lhe sobre a primeira lembrança de contato com o mundo do trabalho. Novas lágrimas prenunciavam a emoção aflorada com suas lembranças, que o remetiam ao menino de 4 anos de idade, na zona rural, junto com seu amado pai lavrador, cuidando com suas pequenas mãos a terra *mãe*, responsável pela sobrevivência de sua numerosa família.

Ele nos revelou então o motivo principal de seu choro e sua dor ao lembrar-se desse início de vida no trabalho: o momento em que teve de deixar a terra, aos 5 anos de idade, em direção à cidade grande com a família, em busca de estudo e melhores condições de vida.

Aquele menino permaneceu ali, porém, integrado ao pai e enlameado de risos e lágrimas. A parte que seguiu com a família para a cidade manteve-se fiel ao menino da terra e, menos de vinte anos depois, ele se formou agrônomo na universidade e decidiu tornar-se pesquisador nessa mesma temática: a terra e seu potencial de nutrir vidas.

Depois, ele escolheu entre os colegas uma pessoa para representar o menino de 4 anos, uma mulher, e a colocou no início da linha do tempo de sua vida laboral.

Diante do *pequeno lavrador*, ali representado por uma mulher, ele tocou, identificou, acolheu e integrou essa primeira manifestação do seu propósito de vida, abraçou e foi abraçado por ele, em um gesto de profunda integração, conclusão e liberação.

Ele recordou que o pai construía pequenas ferramentas de trabalho no campo, que, embora parecessem brinquedos, eram funcionais e, com elas, ao lado do pai, ele adentrou o mundo do trabalho. Quando tiveram que deixar o sítio, nosso cliente relatou a dor de *ter perdido o chão, seu território*. Dirigindo-se ao seu *pequeno lavrador*, ele pôde então o liberar:

– Eu te libero, meu querido menino, você me guiou pela vida afora, está tudo bem agora, você e eu somos um.

O próprio cliente, e não seu representante, deve atuar nesse exercício, com a ajuda do terapeuta e a participação dos representantes.

Em seguida, ele colocou outra pessoa que iria representar o menino na escola, dos 5 aos 10 anos de idade. Ele considerava importante colocar esse momento pelo impacto que representara em sua vida: o contato com o mundo dos estudos, a convivência com os colegas, os professores e sua obstinação por seguir *trabalhando*.

Apesar da novidade da vida na cidade e da sala de aula, ele entendeu sua importância e se dedicou a ponto de ser sempre um dos primeiros alunos da escola.

Outro representante para o período de 10 a 12 anos, quando ele passou a construir os seus brinquedos e os dos amigos. Entre eles, o carrinho de rolimã lhe trazia lembranças de uma genuína e infantil alegria, de seu lugar no mundo, do seu compromisso com os outros, também ali se apresentando.

O pai se desenvolveu marceneiro, e ele foi seu ajudante principal, um *faz-tudo* ao lado do pai. Lembrou-se e integrou também, nesse período, o papel de ajudante da mãe nos serviços domésticos, o cuidado com a horta, com o quintal, com a construção e a reforma de partes da casa, o *forno joão-de-barro*, o fogão a lenha, dentre outros.

Foi necessário destacar um representante para os seus 10 anos e sua experiência de *frustrado vendedor de picolé*. Estava tudo certo, a caixa idealizada e fabricada por ele, o acerto com o fornecedor do produto, os locais a serem explorados, os sabores, os valores e o troco. Mas, dessa vez, foi o irmão mais velho a impedi-lo, afinal, a rua já não era tão segura assim.

Cliente e representante expressaram seus sentimentos de frustração e inconformismo, hoje, porém, podendo integrar também esse irmão mais velho.

Mais uma vez o processo foi de identificação, acolhimento, integração e liberação. No momento da vivência ele pôde compreender que ali se apresentava com força o seu *eu empreendedor*. Reconhecê-lo, menciona o cliente, foi motivo de uma profunda alegria interior.

Dos 12 aos 15 anos já trabalhava na construção de casas, como *ajudante geral* e, certa vez, com 13 anos de idade, o mestre de obras lhe pediu que cuidasse da fiação elétrica, por estar certo de que ele conseguiria, o que foi impedido pela interferência do pai, quando já se preparava para subir a escada.

Uma mistura de agradecimento ao pai protetor e de inconformismo por não poder crescer na profissão lhe tomou sob profunda emoção.

Seu representante expressou esses sentimentos dúbios e intensos; chorou como um menino vetado em sua vontade e seu desejo de ser maior. Aqui ele poderia integrar também sua *capacidade de lidar com a frustração*.

Ainda aqui, nosso amigo-cliente-aluno pôde identificar esse *eu* do adolescente empreendedor e comprometido com o trabalho; acolheu-o e o consolou.

O próximo foi o representante da *Faculdade de Agronomia*, na Universidade Federal de seu Estado, em que ele ingressou aos 16 anos de idade e concluiu aos 20.

Ele escolheu uma mulher, e ela se apresentou *pronta*, aguardando por ele. Mas teve um peso, uma excessiva responsabilidade, ele reconheceu, o vestibular; tinha que dar certo, e da primeira vez, pois a família não poderia sustentar novas tentativas.

Ele identificou nesse momento esse excessivo senso de responsabilidade pesando-lhe sobre os ombros. O diálogo então se colocou:

– Eu integro o seu esforço, a sua dedicação, sua capacidade de honrar sua história e sua família, mas te libero do peso, da obrigação de acertar sempre, meu caro adolescente.

A representante manifestou alívio e um calor pelo corpo.

Ao se abraçarem, a sensação que nos tomou a todos foi de integração e pertinência, sem sobressaltos, apenas encontro e síntese, de volta à casa do pai.

Eu lhe pedi que olhasse para trás, para sua linha do tempo até o momento; isso é algo que percebi ser importante nessa vivência integrativa. Ele viu então o menino de 4 anos, que nesse momento estava em pé. A representante que havia se sentado quase foi até ele. Eles trocaram olhares de comunhão, reconhecimento, inteireza e felicidade.

O cliente falou aqui em *reconexão*, e todos compreenderam.

Seguindo na vivência, o cliente colocou um representante para sua experiência, aos 18 anos, como *professor, no Ensino Médio*, de físico-química.

Aqui as sensações do representante expressaram desconforto, ansiedade, irritação, e ele confirmou: era difícil lidar com adolescentes da sua idade, mas tão dispersos e descompromissados, tão diferentes dele.

Durou pouco tempo essa vivência inicial como professor, e foi difícil essa integração.

Somente algum tempo depois, quando ele se contatou com o professor universitário, foi que essa vivência, por meio de seu representante impaciente, pôde ser integrada.

Foi importante esse contato, esse reconhecimento e essa liberação, afinal, ali nascia o professor. Integrá-lo e reconhecer sua rigidez como estratégia de defesa trouxe-lhe *alívio*.

Dos 20 aos 25 anos ele estava no mestrado e iniciando-se no campo da pesquisa, sempre vinculado à terra e seus recursos. Assim que passou a receber recursos de bolsa de estudo, enviou 50% desse valor para a mãe, sempre compromissado com a família e o bem-estar de todos.

Aqui ele pôde integrar sua capacidade de ganhar dinheiro profissionalmente e ser valorizado pelo seu mérito. O representante falou em sensação de *dever cumprido*, de *reconhecimento*, e sugeri que olhasse para os meninos do início da fila: – *meninos, eu cheguei.*

Foi admitido por concurso, em primeiro lugar, em uma grande empresa estatal do ramo e assumiu, aos 25 anos, o cargo de *pesquisador* dessa empresa, onde permanece até hoje.

Nesse momento, o representante desse *pesquisador* manifestou certo mal-estar, e o cliente reconheceu a necessidade de dizer:

– Aqui eu integro a minha necessidade de segurança e independência, sem abrir mão de minhas ideias e meus ideais de trabalhar com a terra.

O representante, então, completou:

– Sinto aqui um compromisso com a coletividade, uma sensação de estar a serviço.

Nesse período defendeu um *doutorado* nos Estados Unidos e tornou-se um dos maiores especialistas no tema.

Retornou e assumiu a função de assessoria em projetos e publicações dessa empresa. Representantes e cliente compartilharam qualidades de seriedade, muito senso de responsabilidade, mas também sensação de peso e cansaço.

As palavras que me vieram soaram como a possibilidade de um alívio:

– Aqui eu integro a minha capacidade de transmitir e gerar conhecimentos, meu sonho, meu potencial e meus recursos, mas integro também minha resiliência e libero você da ansiedade de querer ser perfeito.

Enquanto se dedicava aos estudos, às pesquisas e ao trabalho, nosso cliente nos revelou a *busca por si mesmo*, processos de *autoconhecimento*, *espiritualidade*, formação em *psicanálise* e outras *psicoterapias*, chegando até o atual curso em *Constelações Familiares*.

Abrira um espaço em sua cidade, um instituto, uma *empresa de desenvolvimento humano*, para essas práticas, compreendendo um chamado interno de cultivar outros terrenos, de ser um pesquisador e terapeuta também da alma humana.

A representante desse último *eu* mencionou ser sólida e leve; tinha os pés fincados na terra, os braços se abriam a partir do coração, sentia-se pronta e presente.

Aqui o processo era de olhar e ver o que já era. Reconhecer o terreno cultivado, a necessidade de foco e o compromisso em sustentá-lo.

Pedi que novamente olhasse para trás, desde o menino na terra até todos os outros *eus*.

O representante do pequeno empreendedor, o *vendedor de picolé*, disse que esteve presente o tempo todo, em pé, e que ele não o esquecesse, pois ele trazia a mensagem do êxito desse atual empreendimento, inclusive financeiro.

Os outros *eus* todos se aproximaram.

Pedi que os reverenciasse, e ele compreendeu que aquele espaço, aquela casa por ele criada, tinha um lugar para todos. Todos os seus *eus*, agora integrados, podiam conviver, e essa síntese resultava em um campo fértil, iluminado, pronto para o serviço a que ele se propusera lá atrás.

Os vários representantes fizeram um círculo e o abraçaram, embalando-o em um movimento ritmado e silencioso. Éramos só emoção e agradecimento.

Ao final, todos nós tiramos o nosso chapéu para ele e o reverenciamos, em silêncio.

Outras vivências de Integração de *Curriculum* que tenho acompanhado promovem processos terapêuticos também riquíssimos, com precisos *feedbacks* dos clientes.

Muitos encontram nessa abordagem maior compreensão dos limites e das dificuldades no campo profissional, definições de carreira, maior clareza de decisões a serem tomadas, padrões repetitivos e lealdades invisíveis aos pais ou a outros membros do sistema familiar, causando bloqueios e sintomas, identificação de possíveis traumas no histórico profissional como fatores limitantes do êxito atual, criando assim possibilidades de resolução.

4

A Constelação do Eu à Luz da Psicossíntese – Uma Jornada Interior de Integração e Cura

Com o aprofundamento do estudo do Sisc Study no início dos anos 2000, ao colocarmos um *representante* para o sintoma e/ou doença e *outro representante* para a pessoa, testemunharmos o desenvolvimento impressionante de toda a trama, de aspectos internos da psique humana sendo revelados, de conexões de sintomas com eventos traumáticos pessoais e sistêmicos, passei a levantar a hipótese de uma *Constelação do Eu*. Nessa nova abordagem, aspectos como os *pequenos eus* e outros elementos dos estudos de Roberto Assagioli poderiam compor, com as Constelações e sua fenomenologia, um cenário de identificações e processos de integração enormemente potencializado.

Procurando um equilíbrio entre a ética do exercício profissional de um lado e o impulso de novas descobertas nessa seara da ajuda e do conhecimento de outro, apresentei, no

Congresso Internacional de Constelações Sistêmicas de Colônia, na Alemanha, em 2005, uma oficina, fruto de meus experimentos nesse campo: A Constelação do Eu – Uma Vivência de Psicossíntese e Constelação Familiar.

Para minha surpresa, cerca de vinte participantes, a maioria professores universitários da Europa, estudiosos da psicossíntese de Roberto Assagioli, vieram na minha apresentação e compartilharam *insights* semelhantes.

Foram momentos de profunda alegria e reconhecimento, um sinal de que estávamos em um caminho promissor, um horizonte com um arco-íris e seu pote de riquezas – uma Constelação do Eu à Luz da Psicossíntese, foi como passamos a denominá-la, e, desde então, vimos colocando-a em prática e nos aprofundando em seu estudo.

Tenho uma grande identificação com a filosofia e a teoria da escola de Roberto Assagioli, considerado um dos pais da Psicologia Transpessoal, vertente da psicologia que reconhece o ser em sua multidimensionalidade: corpo físico, mental, alma e espírito, em vários estados e interconexões com o outro e a natureza. Sua compreensão da espiritualidade como componente inerente à essência humana, que necessita ser trazido à luz da consciência como força ímpar nos processos de cura, encontra ressonância em minha alma e prática médica e psicoterapêutica.

Dentre as inúmeras possibilidades de dinâmicas, percebi melhores resultados quando iniciamos levando o cliente a um exercício de meditação e percepção de seus processos internos com foco na queixa atual – seus *pequenos eus*, identificados como aspectos do seu *inconsciente inferior, médio ou superior*, na terminologia de Assagioli, que são então colocados no campo por meio de representantes em um grupo de pessoas ou figuras, no caso de um atendimento individual.

Por meio de falas e livres movimentos, ou mesmo etapas orientadas, percebemos uma viva e forte mandala terapêutica em que o cliente, no seu *eu observador*, com a ajuda do terapeuta-facilitador, vai integrando aspectos e curando feridas, tomando consciência de seus recursos internos, enxergando além e tomando consciência de seu *eu essencial*.

O que considero particularmente rico nesse trabalho é o compromisso que o cliente assume em ser, ele mesmo, seu *eu terapeuta interno*, reconhecendo seu processo real, suas feridas a serem integradas, seus recursos internos disponíveis, seu protagonismo no próprio desenvolvimento emocional e espiritual. Dessa forma, os riscos de uma vitimização paralisante diante de uma história familiar traumática são menores.

Meu primeiro cliente desse processo, quando ainda em fase de experimentação, foi um jovem psicólogo em processo terapêutico comigo que já havia se submetido a algumas Constelações Familiares tradicionais. Utilizamos as figuras humanas do *kit* de bonecos de figuras humanas e, após um exercício de psicossíntese, *visualização e identificação dos vários eus*, ele os elencou e os colocou sobre a mesa. No centro, colocado em primeiro lugar, estava o *eu essencial*, ou *self*, e a cada novo *eu* colocado ele fazia um movimento de reconhecimento, de aproximação, de identificação e, depois, de desidentificação, síntese e resolução. O simples toque na figura, a presença plena do cliente no campo e a minha também, como facilitadora, fizeram daquele um *set* terapêutico ímpar, com revelações surpreendentes. Imagens e cenas eram trazidas pelo cliente e percebidas por mim quase em processo de transe hipnótico.

As outras vivências que venho conduzindo desde então, em grupos de pessoas ou imagens no consultório, com essa metodologia mostram um processo riquíssimo de possibilidades e têm trazido resultados terapêuticos expressivos.

Algumas vezes sinto necessidade de fazer, quase em paralelo, uma Constelação Familiar clássica, e não raro *pequenos eus*, agora integrados, formam um único *self*, mais capaz de enfrentar e resolver seu processo traumático familiar. Resolver, aqui, entendo por reconhecer, integrar e se fortalecer. Esse processo é particularmente precioso quando estamos lidando com traumas que envolvem violência no âmbito doméstico – situações em que a simples colocação dos representantes dos familiares que atuaram como algozes não é suficiente para ajudar o familiar vitimado, sobretudo quando se tratou de uma criança. Mesmo quando colocamos nos algozes as falas corretas de reconhecimento e reparação, muitas vezes elas não são suficientes para que o cliente possa integrar esse trauma e seguir adiante em melhor situação.

Vários outros estudiosos, por exemplo, Franz Ruppert, dedicam-se a desenvolver abordagens que consideram esses aspectos particulares do trauma, suas repercussões e seu enfrentamento. O método de Franz Ruppert, que pode ser mais bem conhecido por meio de sua obra e seus seminários, também considera aspectos do *eu* a serem integrados. Eu, particularmente, pude vivenciá-lo como cliente sob a condução de Ruppert e sentir seu efeito profundo e transformador.

Em minha experiência como psicoterapeuta, e na de outros que têm em Assagioli uma referência, consideramos que reconhecer e integrar também os aspectos do *inconsciente superior* trazem uma contribuição ímpar ao processo terapêutico.

Assagioli diferencia-se justamente de Freud por considerar que as forças psíquicas identificadas no inconsciente superior, nosso lado luminoso, em grande parte também inconsciente, devem ser reconhecidas e integradas ao *self*, em detrimento de apenas nos dedicarmos a desvendar e integrar nosso *inconsciente inferior e médio*.

Nesse percurso de autoconhecimento, encontrei há alguns anos a sabedoria do Eneagrama, um *guia completo para o crescimento psicológico e espiritual dos nove tipos de personalidade*, nas palavras de Russ Hudson e Dan Riso (Riso e Hudson, 2018). Por meio desse conhecimento milenar e hoje presente como dinâmica de conhecimento e transformação do ser humano, pude compreender melhor a mim mesma, muitas das minhas reações e dos meus comportamentos, nem sempre conscientes, padrões repetitivos e limitantes, aspectos da minha *criança ferida* e também dos meus recursos de sobrevivência e crescimento. Embora similares aos estudos de Assagioli, o Eneagrama apresenta uma compreensão algo diversa e rica dos *eus internos* e suas conexões, seus movimentos, fluxos e bloqueios.

A Constelação do Eu à Luz da Psicossíntese, ao ser apresentada à Equipe do Instituto Eneagrama Shalom (IESH), no Ceará, em 2017, sob a coordenação de Domingos Cunha, deu origem a uma outra e interessante abordagem em que os elementos do Eneagrama são integrados nessa mandala do *eu*: o Laboratório da Consciência (CUNHA, 2018), divulgado e praticado pelos profissionais do IESH. Acompanhar o desenvolvimento dessa nova e peculiar dinâmica terapêutica trouxe alegria a minha alma, confirmando a tese que vimos defendendo do potencial imenso aberto com as Constelações Familiares de Bert Hellinger.

Alguns dos pacientes que procuram as Constelações por apresentarem sintomas de ansiedade ou episódios depressivos trazem histórico de traumas na infância, em geral relacionados ao convívio familiar, permeado muitas vezes por situações de violência. Percebe-se, ao primeiro contato, que aquela pessoa traz no seu corpo anímico a memória dessa criança ferida, como se algo nela permanecesse congelado, não tendo acompanhado o desenvolvimento restante do corpo e da personalidade.

Uma adolescente de 15 anos, com um quadro de ansiedade e humor depressivo, aliado ao sobrepeso que muito a incomodava, veio junto com o pai para uma Constelação Familiar. Sua história era de afastamento da mãe após a separação dos pais, quando ela estava com 7 anos, e tendo o pai ficado com a guarda dos filhos. Ela parecia uma menina de 10 anos, no máximo, não uma adolescente de 15. Pedi então que ela colocasse uma representante para ela e outra para sua sintomatologia. Ela escolheu duas mulheres e as colocou diante uma da outra, a uma certa distância. A representante da sintomatologia logo apresentou *fraqueza e vontade de chorar*. Eu lhe perguntei quantos anos ela achava que tinha, ao que ela respondeu:

– Sete anos.

A representante da adolescente dizia sentir desprezo pela outra, *pela sua fraqueza*, e tinha *vontade de agredi-la*. A menina, ali ao meu lado, tinha os olhos lacrimejantes e me disse, nesse momento, que sofria *bulling* e até agressões na escola.

Estava claro que as duas representantes estavam identificadas com aspectos de sua psique, alguns de seus *pequenos eus*: uma era a criança ferida, frágil, chorosa e triste; a outra, um *eu* que se defendia por meio de uma *estratégia de sobrevivência*.

Muitos dos processos de autojulgamento e autopunição encontram-se justificados por essas dinâmicas.

Eu poderia seguir com uma *Constelação clássica* e trazer representantes para os pais, mas resolvi usar a *Constelação do Eu*, convencida de que, nesse caso, poderíamos explorar um pouco mais as dinâmicas internas, ajudando a jovem paciente a se desidentificar delas, integrá-las e curar-se. Eu lhe expliquei minhas observações. Faço isso sempre com muito cuidado, olhando nos olhos e acolhendo aquele ser adoecido em busca de compreensão e ajuda. Ela concordou com minhas reflexões e disse que às vezes se via mesmo como uma criança frágil e outras vezes se espantava com esse *eu perverso comigo mesma*. O pai, ao lado, fazia sinais de concordância com a cabeça. Continuei meu diálogo com ela e lhe pedi que escolhesse outra pessoa para representar o seu *eu real* ou *essencial* alguém para ser o seu *eu superior*. Ali estavam quatro aspectos: a *criança ferida*, o *eu sobrevivente*, o *eu real* e o *eu superior*. Após serem colocados por ela, pedi que se movimentassem livremente. A dinâmica que se apresentou, após longos processos e movimentações, confirmou a tese de que o *eu real*, com o suporte do *eu superior*, é o que pode identificar e acolher a *criança ferida*, assim como identificar o *eu sobrevivente*, agradecê-lo, liberá-lo e se liberar dele.

Introduzi então a própria paciente, e ela foi acolhida entre risos e lágrimas pelas demais. Quando as quatro representantes e a jovem estavam conectadas e integradas, avisei que colocaria uma representante para a mãe. Quando a *mãe* foi colocada em frente à filha e seus *eus integrados*, houve um estremecimento no coletivo representante da filha: a *criança ferida* voltou a se sentir enfraquecida, *abandonada*, e o *eu sobrevivente* quis se interpor entre ela e a mãe, demonstrando muita raiva. A paciente mostrou-se um pouco perdida e me lançou um olhar de súplica. Perguntei à representante da mãe qual era a sensação, e ela falou em *um misto de desinteresse e culpa*. Esperei alguns instantes e pedi que todos seguissem um movimento interno, caso existisse. A *mãe* permaneceu quase congelada e deu um pequeno passo para trás; o *eu superior* se soltou com suavidade do abraço anterior e se colocou ao lado direito das demais representantes, olhando com calma para todas, inclusive para a representante da *mãe*. O *eu real* virou-se para a *criança ferida* e, sem que eu lhe orientasse qualquer palavra, disse-lhe:

– Está tudo bem, está tudo bem.

Nossa paciente demonstrou serenidade e novamente se abraçaram os vários *eus*. Eu intervim nesse momento, perguntando como todas se sentiam e, ao confirmarem uma *sensação de bem-estar*, pedi que a jovem ficasse no centro, tendo os seus *eus* agora integrados ao lado, e que se dirigisse à representante da mãe. Perguntei o que acontecia, e a jovem revelou *tristeza e saudade da mãe*, mas *que estava bem*. Pedi que fizesse reverência em um gesto de aceitação e reconhecimento, caso pudesse fazê-lo, e ela disse que sim:

– Eu a tomo integralmente como minha mãe – e completou: – Foi muito difícil para nós ficarmos longe de você.

A *mãe* caiu em prantos, referiu-se culpada e arrependida, quis se reaproximar da filha. A jovem olhou primeiro para os seus *eus* ali representados, como a buscar consentimento e apoio; todas estavam serenas e sorriam diante do abraço longo, entremeado de suspiros e pranto.

O pai ali presente também se emocionou e, ao final, disse-me que a mãe estava fazendo um movimento de reaproximação dos filhos e que ele já havia entendido, após assistir a algumas Constelações, a importância desse reencontro. Estava aberto para promovê-lo, mas mencionou que a filha, em particular, estava resistente, pois ainda tinha muita mágoa da mãe; que, após a separação, ela não lutara pela guarda dos filhos, tendo se mudado de cidade com um novo companheiro.

Todos puderam perceber a mudança energética, imediata, ocorrida: a jovem de 15 anos agora se mostrava alegre e agradecida pelo trabalho, uma jornada interior de integração. Algum tempo depois, voltou ao meu consultório. Estava feliz por ter passado um dia inteiro com a mãe e por terem decidido se encontrar com mais frequência. Ela passou a influenciar os outros irmãos a se unirem nesse reencontro, mas me disse que o melhor para eles era permanecer sob a guarda do pai, pois a mãe *ainda estava meio perdida*. Nessa consulta, contou-me sobre a melhora no relacionamento com os colegas, que havia decidido permanecer na mesma escola e que havia começado uma dieta e exercícios físicos, afinal, *eu estou meio gordinha mesmo*. Bem mais madura e consciente de si mesma, menos vitimizada e menos algoz de si própria – assim eu a percebi após essa *Constelação do Eu*.

Em fevereiro de 2019, estive com um grupo de setenta colegas médicos homeopatas na Índia, em um curso de trinta dias com a escola The Other Song, em Mumbai, sob a coordenação do grande mestre da homeopatia contemporânea, Rajan Sankaran, cuja abordagem, chamada de Método da Sensação, vem ganhando hoje repercussão em vários cantos do mundo.

Nessa ocasião, além do aprimoramento ímpar no conhecimento e na prática da homeopatia, tivemos a oportunidade de conhecer um outro mestre, Jayesh Shah, médico homeopata, psicoterapeuta transpessoal e com formação em Constelações Familiares. Jayesh Shah esteve posteriormente conosco no Brasil, em um retiro e um seminário promovidos pelo núcleo da escola The Other Song no Brasil, em Curitiba, sob a coordenação do médico homeopata Carlos Eduardo Leitão.

Em contato com o dr. Jayesh Shah, pudemos nos maravilhar com seu método de utilizar o fenômeno da Constelação integrado à consulta homeopática, valendo-se de imagens trazidas pelo paciente durante a anamnese, com uso de desenhos e esculturas em massa, que primeiro vão sendo criadas em um processo meditativo de presença plena para depois serem colocados no campo, uns em relação aos outros. Uma verdadeira Constelação do Eu em que o paciente vai identificando, integrando e se desidentificando em relação a cada estrutura ou elemento interno trazido à luz da consciência. Assistimos, impressionados, ao atendimento de uma paciente com um diagnóstico de câncer recidivante que criou várias esculturas em massinhas coloridas à medida que se aprofundava, por meio da respiração, em suas sensações internas. Ao colocar as figuras no campo, essa paciente teve vários *insights* e movimentou as estruturas, exatamente como em uma Constelação, após as enxergar e compreender. O médico terapeuta, em profundo estado de presença plena, acompanhou todo o processo, facilitando seu aprofundamento na sensação, e a acompanhou no caminho de integração e cura – sim, pois a cura já começa ali, na jornada psíquica do paciente, e o medicamento *similium*, agora mais claro e consciente, completaria o tratamento.

Durante o seminário, o dr. Jayesh nos apresentou inúmeros casos com bons resultados, em *folow-ups* de meses e anos – resultados surpreendentes de patologias agudas e crônicas, as mais diversas.

Com as Constelações Familiares, Bert Hellinger impactou e imprimiu seu nome na história da psicoterapia no planeta. Mas, para além da abordagem das Constelações, ele foi instrumento da revelação de um método com amplas aplicações nas ciências humanas como um todo.

A Constelação do Eu, tendo como base os conhecimentos reunidos na psicossíntese de Roberto Assagioli e o método fenomenológico de Bert Hellinger, é um caminho que se apresentou à minha frente e em cujo desenvolvimento sigo, acompanhando seus resultados, em sintonia com minha alma.

Considerações Finais

O momento certo de encerrar uma Constelação é uma arte cujo mistério, genuíno a cada caso, vamos aprendendo com o tempo, mas dentro de um propósito único de fazer daquele ato um *instante perfeito* – perfeito em seu propósito de tocar a alma do sujeito, nosso cliente, autor, diretor e personagem do *teatro da verdade* no qual somos, como terapeutas, uma espécie de observador atento, responsável pelo cenário e auxiliar de direção. Minha observação é, sobretudo, um ato de entrega, aceitação e afastamento.

Esse instante único de finalização de uma Constelação nos pede, tanto quanto seu início, um olhar sem julgamento, uma postura ética, humilde e confiante no fenômeno que se apresenta. Erramos quando tomamos para nós mesmos o foco e os aplausos finais.

Sua força e seu potencial de adentrar o inconsciente humano denunciam sua beleza e seus riscos. Alguns de seus críticos apontam as consequências nefastas de uma Constelação malconduzida e, lamentavelmente, somos testemunhas dessas ocorrências. Nesse caso, as Constelações não diferem de outras abordagens do campo da psicoterapia e da própria medicina em que conduções equivocadas agridem o sujeito e pioram o quadro em atendimento.

Quanto mais profissionais atentos, psicoterapeutas experientes, psicanalistas, médicos, filósofos, consultores, cientistas e estudiosos da psique humana em geral reconhecerem o portal aberto com as Constelações Familiares e seu fenômeno de representação do inconsciente, maiores serão as possibilidades de seu desenvolvimento e utilização para muito além do que hoje conhecemos.

Os fenômenos da comunicação humana chamados extrassensoriais são motivo de inúmeros estudos, como nos diz Massimo Citro em seu fenomenal livro *O Código Básico do Universo – A Ciência dos Mundos Invisíveis na Física, na Medicina e na Espiritualidade* (Editora Cultrix), mas talvez nunca foram aplicados antes em tão amplos campos como agora, com as Constelações Familiares.

As contribuições de Bert Hellinger e outros desse campo não se limitam ao processo da Constelação em si, mas à observação de um fenômeno humano, um dom até então semiadormecido ou mal interpretado por meio do qual qualquer um de nós pode acessar e sentir o outro em sua essência, sendo nós mesmos instrumentos de revelações e tomada de consciência de processos ocultos, sistêmicos, danosos ou não, ricos de potencial criativo até então pouco acessíveis.

Cabe ao terapeuta de Constelação criar esse campo, as condições propícias para que esse fenômeno se apresente de forma genuína e verdadeira, a cada caso.

Nas Constelações, ao me colocar no lugar do outro, abro uma porta para um maior contato comigo mesmo. Amplio meu olhar ao redor, minha consciência da realidade, enxergo melhor a mim mesmo, minha família atual e a de origem, a comunidade em que vivo, o outro, perto ou longe de mim.

Desenvolvo melhor a empatia e a compaixão e, ao me permitir esse olhar sistêmico, posso me conectar com o todo. Talvez seja isso que quis dizer Gandhi quando afirmava que *não existia um caminho para a paz*; que ela, *a paz, era o próprio caminho*. Também acredito que é esse o entendimento de Bert Hellinger ao nos afirmar que a *paz começa na alma*, título inclusive de um de seus livros.

Com as Constelações estamos aprendendo a conhecer mais sobre essa alma individual e coletiva, conectada com o todo. É nesse sentido que acredito serem as Constelações Familiares um presente para a humanidade em seu percurso de sobrevivência, em busca de felicidade, entendimento e paz.

Na minha experiência, noto que faz parte do fenômeno da Constelação o esquecimento dos detalhes das histórias reveladas, permanecendo a memória do essencial trabalhado e, particularmente, aquilo que reverbera em nós, que está em sintonia com nossas próprias questões, com nossa essência.

Reunir, portanto, essas histórias, dentre tantas, para compor este livro foi um grande desafio. E, agora, em seus atos finais, percebo que estive presente e imersa em vários dos processos psíquicos aqui descritos e ocultos por sintomas e doenças, as mais diversas.

Concluo este texto tomada por um sentimento de gratidão por ter compreendido o valor dessa técnica e dessa filosofia, assim como pela oportunidade de contribuir em seu desenvolvimento e sua sustentação. Mas concluo também com um forte desejo de seguir em meu processo psicoterapêutico pessoal com essa e outras abordagens.

A escrita me traz a presença de meu pai, Cássio, que, além de alegrar e enriquecer nossa infância com contos e poesias, teatros de fantoche e incentivos à leitura, complementava nossos estudos escolares com redações extras, ditadas e corrigidas por ele. *Um Palito de Fósforos*, esse é um dos temas que permanecem acesos na minha memória. Ele segue me iluminando e aquecendo minhas costas diante de cada novo caso em uma Constelação Familiar, cada paciente no consultório ou em qualquer outro momento da minha vida profissional.

Adentrar o mar imenso de sensações reveladas por essas histórias, seus sintomas e doenças, me traz a presença de minha mãe, Tereza, e junto com ela um calor interno nas minhas entranhas, como uma onda que do útero sobe até a cabeça, mas, no caminho, repousa um instante no coração. Ela me aquece, sobretudo em minha vida afetiva.

Ter tido a oportunidade de acompanhar meus dois filhos, Rodrigo e Tereza, em uma Constelação conduzida por Gunthard Weber quando na época eram duas crianças, de 12 e 7 anos de idade, foi um presente de grande impacto positivo em nossas vidas.

A lembrança da minha própria Constelação, há mais de 15 anos, ainda reverbera em mim, particularmente por ter me devolvido a presença forte e amorosa do meu irmão Cassinho, à minha direita.

As Constelações Familiares me proporcionaram lampejos de lucidez, de síntese e resolução de vários conflitos internos que funcionavam como obstáculos ao meu processo de amadurecimento emocional e crescimento espiritual. Elas me aproximaram do que eu sou, de onde vim, do que recebi, da minha história, e seguem me nutrindo de gratidão e ensinamentos.

Em mim, assim como nos inúmeros pacientes que tenho acompanhado com as Constelações Familiares, encontro um campo terapêutico ímpar de enfrentamento e integração de traumas e feridas, uma centelha de luz em processos tão limitantes.

Apresentá-las aos outros tem sido um enorme prazer. Cuidar para que sejam bem utilizadas e sigam se desenvolvendo é uma tarefa que resolvi abraçar. Escrever este livro é como um abraço prazeroso, uma Constelação do Eu, uma dança circular sagrada em que *somos um* em *círculos cada vez maiores*, como nos lembra Ranier Maria Rilke.

Referências Bibliográficas

ASSAGIOLI, Roberto. *Psicossíntese: As Bases da Psicologia Moderna e Transpessoal*. São Paulo: Cultrix, 1983.

_____. *O Ato da Vontade*. São Paulo: Cultrix, 1993.

BASSO, Theda e SPULTILNIK, Aidda. *Corporificando a Consciência: Metodologia da Escola da Dinâmica Energética do Psiquismo*. São Paulo: ICDP, 2002.

BERN, Erick. *Jogos da Vida: Análise Transacional e o Relacionamento Entre as Pessoas*. São Paulo: Grove Press, 1964.

BOSZORMENYI-NAGY, Ivan e SPARK, Geraldine. *Lealtades Invisibles. Reciprocidad en Terapia Familiar Intergeneracional*. Madri: Amorrortu, 2013.

CITRO, Massimo. *O Código Básico do Universo: A Ciência dos Mundos Invisíveis na Física, na Medicina e na Espiritualidade*. São Paulo: Cultrix, 2014.

CUNHA, Domingos. *Eneagrama da Transformação*. Fortaleza: Karuá, 2016.

_____. *Eneagrama. Sementes*. Fortaleza: IESH, 2018.

EVANS-WENTZ, W.Y. (Org.). *O Livro Tibetano dos Mortos*. São Paulo: Pensamento, 1985.

FORLENZA, O. V. e colaboradores. *Compêndio de Clínica Psiquiátrica*. São Paulo: Manole, 2012.

FRANKE-GRICKSCH, Marianne. *Você é Um de Nós: Percepções e Soluções Sistêmicas para Professores, Alunos e Pais*. Patos de Minas: Atman, 2005.

GARRIGA, Joan. *Viver na Alma*. Campinas: Saberes, 2011.

_____. *Onde Estão as Moedas: As Chaves do Vínculo Entre Pais e Filhos*. Campinas: Saberes, 2013.

_____. *O Amor Que Nos Faz Bem: Quando Um e Um Somam Mais Que Dois*. São Paulo: Academia, 2014.

GAY, Peter: *Freud: Uma Vida Para o Nosso Tempo*. São Paulo: Companhia das Letras, 2012.

GERBER, Richard: *Medicina Vibracional: Uma Medicina para o Futuro*. São Paulo: Cultrix, 1992.

GOSWAMI, Amit. *O Médico Quântico: Orientações de um Físico Para a Saúde e a Cura*. São Paulo: Cultrix, 2006.

GROF, Stanislav e GROF, Christina. *A Tempestuosa Busca do Ser: Um Guia Para o Crescimento Pessoal Através da Crise de Transformação*. São Paulo: Cultrix, 1998.

HAUSNER, Stephan. *Constelações Familiares e o Caminho da Cura: A Abordagem da Doença Sob a Perspectiva de Uma Medicina Integral*. São Paulo: Cultrix, 2010.

HELLINGER, Bert. *Ordens do Amor: Um Guia Para o Trabalho com as Constelações Familiares*. São Paulo: Cultrix, 2003.

_____. *Desatando os Laços do Destino: Constelações Familiares com Doentes de Câncer*. São Paulo: Cultrix, 2006.

_____. *No Centro Sentimos Leveza: Conferências e Histórias*. São Paulo: Cultrix, 2004.

HELLINGER, Bert. *Conflito e Paz: Uma Resposta*. São Paulo: Cultrix, 2007.

_____. *Ordens da Ajuda*. Patos de Minas: Atman, 2005.

_____. *O Essencial é Simples: Terapias Breves*. Patos de Minas: Atman, 2006.

_____. *A Fonte Não Precisa Perguntar Pelo Caminho: Um Livro de Consulta*. Patos de Minas: Atman, 2005.

_____. *A Paz Começa na Alma*. Patos de Minas: Atman, 2006.

_____. *Um Lugar Para os Excluídos: Conversas sobre os Caminhos de Uma Vida*. Patos de Minas: Atman, 2006.

HELLINGER, Bert e WEBER, Gunthard. *A Simetria Oculta do Amor: Por Que o Amor Faz os Relacionamentos Darem Certo*. São Paulo: Cultrix, 1999.

HELLINGER, Bert e TEN HOVEL, Gabriele. *Constelações Familiares: Conversas sobre Emaranhamentos e Solução*. São Paulo: Cultrix, 2001.

JORGE, Marco Antônio Coutinho. *Fundamentos da Psicanálise: De Freud a Lacan*. Rio de Janeiro: Zahar, 2017.

JUNG, Carl Gustav. *Estudos Psiquiátricos*. São Paulo: Vozes, 2011.

_____. *Psicogênese das Doenças Mentais*. São Paulo: Vozes, 2013.

_____. *Sincronicidade: A Dinâmica do Inconsciente*. São Paulo: Vozes, 2014.

KELLY, Robin. *O Holograma Humano: O Paradigma Holográfico e Suas Aplicações na Medicina, na Psicologia e na Vida Diária*. São Paulo: Cultrix, 2015.

LACAN, Jacques. *Escritos*. Rio de Janeiro: Zahar, 1998.

LEVINE, Peter A. *O Despertar do Tigre: Curando o Trauma*. São Paulo: Summus, 1999.

MÃE, Valter Hugo. *Homens Imprudentemente Poéticos*. São Paulo: Biblioteca Azul, 2016.

_____. *A Desumanização*. São Paulo: Biblioteca Azul, 2017.

_____. *As Mais Belas Coisas do Mundo*. Rio de Janeiro: Biblioteca Azul, 2019.

_____. *Contos de Cães e Maus Lobos*. Rio de Janeiro: Biblioteca Azul, 2019.

_____. *A Máquina de Fazer Espanhóis*. São Paulo: Biblioteca Azul, 2016.

MATTOS, Maria Beatriz da Silva. *A Concepção de Espiritualidade na Obra de Roberto Assagioli: A Abordagem Emergente da Psicossíntese*. Dissertação de Mestrado em Psicologia Clínica: PUC-SP, 2013.

MORENO, Jacob Levy e MORENO, Zerka Toeman. *Fundamentos do Psicodrama*. São Paulo: Ágora, 2014.

PERLS, Fritz. *Abordagem Gestáltica e Testemunha Ocular da Terapia*. São Paulo: Grupo Gen/LTC, 1988.

RAVIZZA, Maura Saita. *Jung, Psicogenealogia e Constelações Familiares*. São Paulo: Interação Sistêmica, 2019.

RILKE, Rainer Maria. *Cartas a um Jovem Poeta*. São Paulo: Globo/Biblioteca Azul, 2013.

_____. *Carta sobre Paul Klee*. Rio de Janeiro: Zahar, 2014.

RISO, Don Richard e HUDSON, Russ. *A Sabedoria do Eneagrama: Guia Completo para o Crescimento Psicológico e Espiritual dos Nove Tipos de Personalidade*. São Paulo: Cultrix, 2018.

ROCHAT DE LAVALLÉE, Elisabeth. *Os 101 Conceitos-Chave da Medicina Chinesa*. São Paulo: Inserir, 2019.

ROCHAT DE LAVALLÉE, Elisabeth e LARRE, Claude. *Os Movimentos do Coração: Psicologia dos Chineses*. São Paulo: Cultrix, 2015.

RUPPERT, Franz. *Simbiose e Autonomia nos Relacionamentos: O Trauma da Dependência e a Busca da Integração Pessoal*. São Paulo: Cultrix, 2012.

_____. *Early Trauma. Pregnancy, Birth and First Years of Life*. Steyning/RU: Green Balloon Publishing, 2016

RUPPERT, Franz e BANZHAF, Harald: *My Trauma, My Body, My I. Setting up Intentions. Exiting our Traumabiography*. Steyning/RU: Green Balloon Publishing, 2017.

SANKARAN, R. *A Sensação em Homeopatia*. São Paulo: Editora Organon, 2010.

SANKARAN, Rajan. *Dog, Yogi, Banyan Tree*. Mumbai: HMP, 2017.

_____. *The Spirit of Homoeopathy*. Mumbai: HMP, 2015.

_____. A Sensação em Homeopatia. São Paulo: Editora Organon, 2010.

SCHNEIDER, Jakob R. *A Prática das Constelações Familiares. Bases e Procedimentos*. Patos de Minas: Atman, 2007.

SHELDRAKE, Ruppert. *Uma Nova Ciência da Vida*. São Paulo: Cultrix, 2014.

_____. *A Sensação de Estar Sendo Observado e Outros Aspectos da Mente Expandida*. São Paulo: Cultrix, 2004.

WOOD, Juliette. *O Livro Celta da Vida e da Morte*. São Paulo: Pensamento, 2011.

YALOM, Irvin D. *Os Desafios da Terapia: Reflexões para Pacientes e Terapeutas*. Rio de Janeiro: Ediouro, 2006.

_____. *O Carrasco do Amor e Outras Histórias sobre Psicoterapia*. Rio de Janeiro: Ediouro, 2007.

Impresso por :

gráfica e editora

Tel.:11 2769-9056